英会話・ぜったい

音読

標準編

テキスト提供	開隆堂出版株式会社＜Lesson 2、3＞
	教育出版株式会社＜Lesson 4、11＞
	株式会社三省堂＜Lesson 10、12＞
	学校図書株式会社（株式会社秀文出版）＜Lesson 1、9＞
	東京書籍株式会社＜Lesson 5＞
	中教出版株式会社＜Lesson 6、8＞
	光村図書出版株式会社＜Lesson 7＞
音源提供	開隆堂出版株式会社＜Lesson 2、3＞
	教育出版株式会社＜Lesson 4、11＞
	株式会社三省堂＜Lesson 10、12＞
	学校図書株式会社（株式会社秀文出版）＜Lesson 1、9＞
	東京書籍株式会社＜Lesson 5＞
	光村図書出版株式会社＜Lesson 7＞
録音編集	財団法人英語教育協議会
イラスト	木脇 哲治
写真提供	株式会社タベイ企画
	株式会社共同通信社
本文デザイン	瀬戸 美保
編集協力	辻 由起子
	村田 真佳
	教学図書協会
	千葉商科大学（太田 信雄、亀井 隆）
	Kodansha America, Inc.

英会話・ぜったい・音読
標準編

編者
國弘正雄

トレーニング指導
千田潤一

CDブック

講談社

本書について

　現在(2000年1月)、文部省の検定済みの中学3年生用の英語教科書は、7点出版されています。本書ではその7点のすべての教科書の中から、本書の企画趣旨に沿った12レッスンを厳選して、そのメインテキストを再録しました。また、付属CDの音源は、各々の教科書会社(中教出版株式会社を除く)からご提供をいただいたものを、そのまま収録しました。

　レッスンを再録させていただいたのは下記教科書です。
　『Sunshine English Course 3』(開隆堂出版株式会社)
　『One World English Course 3』(教育出版株式会社)
　『New Crown English Series New Edition 3』(株式会社 三省堂)
　『Total English 3』(株式会社 秀文出版)
　『New Horizon English Course 3』(東京書籍株式会社)
　『Everyday English 3』(中教出版株式会社)
　『Columbus English Course 3』(光村図書出版株式会社)

　見出しなどは除き、各々の教科書の忠実な再録を心がけましたので、表記、発音方法などが、レッスン間で齟齬(そご)をきたしている場合もあります。また、レッスン中の網かけ部分は、本書の編集部で作成したもので、教科書には掲載されていません。

　語注は、各々の教科書に新出単語、重要表現として記載されているものすべてを(発音記号表記を含め)そのまま再録しましたので、レッスン間で重複などがあります。

　なお、それらの単語や表現のうち、各々の教科書に日本語訳が付されてないものは、本書の学習者の便宜を考えて、『講談社ハウディ英和辞典』、『講談社英和中辞典』から引用して付記しました。

　CDを使う場合は、テキストに表示されているトラック番号をセットすれば、聞きたいところからCDをスタートさせることが出来ます。

もくじ

トレーニングを始める前に ･････････････････････ 9
　英語習得の王道は「音読」　國弘 正雄 ･･････････ 10
　本書の使い方：英語トレーニングのやり方　千田 潤一 ･･････ 26

実　践　編 ･･････････････････････････････ 49

- **LESSON 1**　The Internet ･････････････････････ 50
- **LESSON 2**　The Development of Computers ･･････ 54
- **LESSON 3**　A Blend of Cultures ･････････････････ 58
- **LESSON 4**　A Famous Old Town ･････････････････ 64
- **LESSON 5**　A Pajama Party ･････････････････････ 68
- **LESSON 6**　Making a Speech ･････････････････････ 72
- **LESSON 7**　Mika's Speech ･･････････････････････ 80
- **LESSON 8**　Let's Have a Debate! ･･････････････････ 84
- **LESSON 9**　Ha, ha, ha.... ･･･････････････････････ 90
- **LESSON 10**　On the Top of the World ････････････ 94
- **LESSON 11**　Protect Our World ････････････････ 98
- **LESSON 12**　I Have a Dream ･･･････････････････ 102

CONTENTS

巻末付録:トレーニング記録帳 ・・・・・・・・・・・・・・・・・・・・107
　トレーニング記録帳の記入の仕方・・・・・・・・・・・・・・・・・・108
　トレーニング記録帳(Lesson 1〜12)・・・・・・・・・・・・・・・・110
　音読筆写の進歩記録表 ・・・・・・・・・・・・・・・・・・・・・・・・・・・134

「ぜったい」オススメ

① テープで聴く際は、オートリバース機能はOFF！・・・・・・・ 57
② 英語の一気読みトレーニング！ ・・・・・・・・・・・・・・・・・・・・・ 63
③ 速写トレーニング！・・・・・・・・・・・・・・・・・・・・・・・・・・・・・・・ 67
④ 覚えられなければ書くトレーニング！・・・・・・・・・・・・・・・・ 71
⑤ 教科書の学習ガイドでトレーニングを補おう ・・・・・・・・・・ 79
⑥ 『英語学習ダイアリー』を使ってみよう・・・・・・・・・・・・・・・ 83
⑦ 単語帳より表現集！・・・・・・・・・・・・・・・・・・・・・・・・・・・・・・・ 89
⑧ 音読と筆写でTOEICスコア940点に大幅アップ！・・・・・・ 97
　〜薄永洋一さんの場合
⑨ TOEICでトレーニングの成果チェックを！・・・・・・・・・・・・101

トレーニングを始める前に

英語習得の王道は「音読」
國弘 正雄

本書の使い方：
英語トレーニングのやり方
千田 潤一

英語習得の王道は「音読」

英国エジンバラ大学　特任客員教授
・・・・・・・・・・・・・・・・・・・・・・・・ 國弘　正雄
　　　　　　　　　　　　　　（くに　ひろ　　まさ　お）

1. なぜ日本人は英語が上達しないのか

　国連には188ヵ国（2000年2月現在）が加盟していますが、このうち英語を母語とする国はたったの12ヵ国です。にもかかわらず、国際会議などはたいてい英語で行われています。インターネット上でも、交わされるコミュニケーションのうち、82％が英語で行われているという状況です。英語はもはや英米の言語という域を出てしまい、「地球語（global language）」になった感があります。私は1970年に出してロングセラーになった『英語の話しかた』で、これを「英語の脱英米化」と呼んだのですが、非英語国民である日本人もいやおうなしに、英語によるコミュニケーションを行っていかなければならないのが現状です。
　しかしながら、日本人が国際社会で十分渡り合えるような英語

力を持つようになったのかと考えると、いささか疑問が残ります。英語力を測るテストの1つにTOEFL（Test of English as a Foreign Language）があります。この試験のスコアを国別で見た場合、日本人受験者の平均得点は501点（1998年7月〜1999年6月）で、アジア21ヵ国・地域中18位という低いランクです。中国や韓国など文化的背景があまり異ならない東アジアの隣国と比べて、日本人の成績は伸び率と得点の両方でかなり劣っています。今の日本にはこんなに英会話学校や教材などが充実し、学校教育や入試でも英語は一番重要な科目の1つと見なされているというのに、一体なぜこんなに英語力が低いのでしょうか。今までの日本の英語教育の根本的な取り組み方に、何か大きな原因があるとしか考えられません。

　英語が言語の1つである以上、必ず書き言葉の文字と話し言葉の音声の両方が伴います。しかし、従来の日本の英語教育は、英語を目で読んで理解すること、すなわち英文読解や文法に重点を置いてきました。もちろん、外国語を学ぶのに、このようなアプローチは不可欠ですが、これのみに傾倒しすぎていては、使える英語はいつまでたっても身に付きません。音声面を重視した英語教育をしてこなかったことが、日本の英語教育の最大の過ちであったと言っても過言ではないでしょう。

2. 音声の重要性

　これまでの様々な研究から、動物も独自の言語を持っていることが解明されています。オーストリアの科学者は、蜜蜂がダンスによってお互いのコミュニケーションを図っていると発表し、ノーベル賞を受けています。またアメリカの神経生理学者は、イルカの出す声は他のイルカとのコミュニケーションの媒体であることを解き明かしています。ネコやサルが鳴き声で意思の伝達を行っていることは、私たちには周知の事実でしょう。日本ザルに至っては、50種類もの異なる音声で感情を表現していると言われています。

　このように、言語を持つのはヒトだけではありません。しかし、ヒトの言語との決定的な違いは、サルの声は不特定多数を相手としたものであるのに対し、ヒトの言葉は1対多であれ、1対1であれ、相手に対する伝達や話し合いの手段であるという点です。

　言葉を習って身に付けられるのはヒトだけではありません。実はチンパンジーも言葉を覚えます。アメリカではワッシュー嬢やニーナ嬢など、百何十もの語彙を身に付けたチンパンジーの言語習得事例が報告されています。日本では京都大学霊長類研究所の「アイちゃん」という名の雌のチンパンジーが同様の能力を持っているとして有名です。「アイちゃん」の学習ぶりとその成果を紹介したNHK教育テレビの番組をご覧になった方もおられることで

しょう。「アイちゃん」は日本のチンパンジー界では天才的な存在です。

ただ、ここで指摘しておくべきことは、チンパンジーの持つこれらのすばらしい能力は、視話（sign language）とのからみや色や形の違った型紙や積み木を使って実験した際に発見されたということです。すなわち、音声を伴わず、目で見ることによってコミュニケーションを図るという、「視覚言語」によるものなのです。つまりは音声をほとんど伴わない、視覚だけが頼りの言語なのです。彼ら天才チンパンジーといえども、聴いたり話したりする"aural-oral"な言葉は、完全にお手上げなのです。

それに比べて、ヒトの持つ言語の最大の特徴は、声を出して1対1（あるいは1対多）で話し合ったり、意思疎通を行うことができるという点にあると言えます。従って、言語を身に付けようとするのなら、この特徴を生かさなければなりません。ヒトの言語には文字が伴いますから、「視覚言語」として目から学習することは不可欠です。しかし、それだけでは不十分で、音声で活用する練習も取り入れなければならないのです。日本の伝統的な英語教育が不備だった最大の理由は、とかく視覚に重点が置かれ、音声面が軽視されてきたからだと考えられます。

3. ヒトが言葉を理解するプロセス

　そもそもヒトの言語というものは、大脳の中のある特定のプロセスを経て初めて理解されるのです。何気なく日常使っている母語であっても、インプットされた言語刺激は大脳で処理されて蓄積されていきます。英語学習の方法を述べる前に、ここでごく簡単に大脳内のこのプロセスを説明しておきましょう。

　大脳の中には言語中枢があり、2つの領域に分かれています。1つは言語を受け身的に理解することを担当しており、発見者の名前をとってヴェルニッケ中枢（言語理解領野）と呼ばれています。他の人が話した言葉はここに入ってきて理解されるのです。そのそばにもう1つの領域、すなわち言語を能動的に使うことを担当するブローカ中枢（言語運動領野）があります。同じく発見者の名前をとってこう呼ばれるのです。ここでは、のどや唇、舌などを動かして言葉を発する指令がなされるのです。この2つは隣り合わせになっており、お互いに相互作用（フィードバック）をしながら機能しています。

　例えば、何かに書かれた文字を見ると、目から入ったそのメッセージはまずヴェルニッケ中枢へ送られて理解されます。今度はそれを口に出して音声化してみようとすると、そのメッセージはブローカ中枢へ伝えられ、ここでメッセージは音声という媒体を用いて発信するよう指示を受けます。そうすると、今まで目で理

解していた視覚言語が音声言語化され、口から音声を発することになるわけです。そうして発せられた音声を自分の耳で聞き、再びヴェルニッケ中枢でその正否を理解するという具合です。言語能力を蓄積していくには、この2つの中枢の連携を活性化させて、常にメッセージが循環するような回路が必要なのです。

2つの中枢の間でのinteraction（相互関連）を頻繁に引き起こしていけば、知識が肉体化され、受け身の知識だけでなく、能動的に使える知識となって身に付きます。これを身体（からだ）の中にたたき込む、という意味で「内在化（internalize）」と言います。大脳内のこういったプロセスは、母語を習得する場合には意識しなくても自然に機能しています。

ところが、外国語を学ぼうとする場合には、このような機能は自然には働いてはくれません。だから、この循環が繰り返し行われる環境を人為的に作り出してやる必要があります。

4. 知的記憶と運動記憶

　ヒトの記憶に関する様々な実験から、身体で覚えたことは長く記憶に留まるということが実証されています。知識を得ても、そのままにしておけば、やがて忘れ去ってしまうでしょう。しかし、自分の身体のいずれかの部分、例えば耳や口、手などを使って、得た知識を能動的に活用すると記憶に長く残り、やがて自分のものとなっていくのです。だから、本当の英語をより確実にモノにするには、少しでも多くの感覚機能を動員するのが秘訣です。

　見たり読んだりといった受け身的な行為によって覚えることを知的記憶（intellectual memory）と呼びます。それに対し、肉体の総器官を動かし（move）、大脳の中の回路を経ること、つまりは感覚機能をフルに使うことによって覚えることを、運動記憶（motion memory）と言います。物事を体得しようとするには、知的記憶を運動記憶に変えなければなりません。

　野球でも、水泳でも、車の運転でも何でもそうですが、どんなに本で勉強しても、どんなに事前に説明を受けていても、いざ実際にやってみるとなかなかうまく出来ないものです。ところがいったん身体で覚えてしまえば、その知識は定着します。何年ぶりかに自転車に乗っても、そんなに不自由なく乗りこなせるのは、それが運動記憶になっているからです。

　外国語の学習もこれとまったく同じです。どんなに単語やイデ

ィオムを知っていても、それが使えなければ役に立ちません。知的記憶（語彙力、文法力など）を運動記憶に変えるには、身体で覚えるしかないのです。そこでお勧めするのが「音読」です。

5. 音読のすすめ

　「先生、英語がなかなかうまくならないのですが、どうやったら話せるようになりますか」と質問されることがあります。こんな質問を受けた場合、「あなたは、声を出して読んでいますか」と私は逆に聞き返すようにしていますが、「はい」と元気な返事はなかなか戻ってきません。ほとんどの人が「いいえ…」と言って口ごもります。声を出さないで英語を勉強している人の英語力はかわいそうなほど伸びません。

　英語を本当に身に付けようとするには、英語を理解する基礎回路の構築が先決です。建築に例えれば基礎工事です。家を建てる時、基礎工事することなしに、柱を立てたり屋根を造るなんてことはしないはずです。英語の勉強もまったくこれと同じです。基礎回路ができていない段階で、雑多な新しい知識を吸収しようと

しても、ざるで水をすくうようなものです。単語や構文などをいくら頭だけで覚えたとしても、実際の場面では使えません。

　この基礎回路を身に付ける最も簡単で効果的な方法が「音読」です。目で見たことを口から音声で発する、つまりヴェルニッケ中枢とブローカ中枢の間でinteractionを引き起こしてやることです。身体の1つでも多くの感覚を使って、運動記憶に訴えてこそ、言語を自分の身体の中へ取り込む、すなわち内在化させることが出来ます。いったん内在化させた言語能力は、自分の肉体の中の血となり肉となって、広範囲な応用力を発揮します。

　私の友人の川村徹氏は「音読」に関し、絶妙なたとえで、次のような趣旨で解説してくれています。

　「要するに英語というのは頭だけでは無理です。スポーツと同じで練習が必要です。その練習の一番簡単なのが音読です。野球でいえば素振りでしょう。素振りはバット1本あれば、どこででも、1人で出来ます…。しかし、バッティングは素振りだけでは完結しません…。音読はガス釜の種火作りのようなもので、種火さえつけば、後は燃料を追加さえすればどんどん火は燃えます」と。

　英語学習においては、この「種火」をつけるために辛抱強く木と木を摩擦するプロセスが、音読だと言えましょう。種火（＝英語の基礎回路）がついていない段階で、単語やイディオムを覚えようとしても、なかなか効果は上がりません。しかし、いったん種火さえついてしまえば、投入した燃料に比例して火は燃えるのです。

6. 音読に適する教材

　音読する材料は極端な言い方をすれば何でもよいのですが、そうは言っても、ある程度まとまった意味を持つ文章が望ましく、「山」と「川」といった合い言葉のような、こまぎれの文章やあいさつなどの簡単な会話文はあまり適しません。中身と音声との一体化が音読の目的なのです。従って、"Hi! How are you?" "Fine, thanks."式のものはあまりお勧めしません。

　また音読は、書かれている内容をまず理解してから始めることが大切です。黙読して内容が理解できる文章だからこそ、目から入ってきた視覚言語としての知識を音読によって活性化することが出来るのです。

　ある調査によると、専門用語を用いるような会話は別にすると、英語での日常会話はおよそ1000語ほどで事足りているとのことです。1000語と言うと、中学3年までで習う語彙数にほぼ相当します。中学3年の英語と言えば、少しレベルが低いのではないかと思う人もいるかもしれませんが、このレベルの英語を運動記憶で身に付けた人、すなわち自由に使える人がどのくらいいるかと言うと、大半は、理解できる（知的記憶になっている）が、使えない（運動記憶になっていない）という人なのではないでしょうか。

　このレベルの英語を運動記憶として築いておけば、日常生活のやり取りを十分こなせるだけでなく、英語学習に関する基礎回路

が出来たことになります。そうすれば、力がつくのも早くなり、実際の場面でも力が発揮できるのです。

7. どのくらいやればよいか

　私は英文を音読して身に付けるという方法に「只管朗読(しかんろうどく)」という名前を付けて、何十年と推奨してきました。これは、もともと曹洞宗を開いた道元禅師の教えである「只管打坐(しかんたざ)」をもじったものです。「ただひたすら座りなさい」というこの意味を音読方法にも当てはめ、「ひたすら声を出して読む」ことを勧めているのです。

　それでは、「何回位音読すればよいのですか」という疑問が当然湧いてくるでしょう。「一寸座れば一寸の仏」と道元禅師も説くように、1回やれば1回の効果、100回やれば100回の効果があると言えましょう。つまりやればやるほど、効果が上がるのです。

　音読はどこでもいつでも行うことができ、またお金がほとんどかからない方法ですが、ひたすら読むというのは単純な作業だけに、おうおうにして飽きが来がちです。だから、1つの教材は、まず1～2ヵ月間やることを目標にしてください。効果が出てきたのが実感出来たら、別な教材でやってみるとさらに効果が上がるでしょう。

　音読するのは暗記することが目的ではありませんし、暗記できなくてもいっこうに構いません。音読の目的は暗記ではなく、何

度も何度も音読することによって英語の回路を頭の中に作り上げ、運動記憶として使えるようにすることです。もちろん、結果として暗記できてしまえば、それに越したことはありません。

8. 手で書いてみる

　手を動かして英文を書き写すことも、極めて効果的な学習方法の1つです。私はこの方法を「只管朗読」と語呂を合わせて、「只管筆写(かんひっしゃ)」と名付けています。「只管朗読」と同様に、「ただひたすら書き写す」ことを意味するもので、英文を視覚だけで覚えるのではなく、手を動かして書き写しながら運動記憶として身体に覚え込ませるやり方です。

　そういえば、皆さんも漢字を覚える時に、何回も何回も漢字を紙に書いて1つ1つ覚えていかれた方も多いはずです。初対面の人の名前を覚えようとする時、名刺を見て視覚で確認するだけでなく、「○○さんですか」と声に出して言ってみる、あるいは手の平に書いてみると、意外と記憶に残りやすいと感じたことはありませんか。身体を使い、脳の複数の中枢を使って頭にたたき込ませているからなのです。只管筆写はこれらと全く同じ原理です。

　目で見た文章を手を動かして書き写しているうちに、知的記憶から運動記憶に置き換えられて自分の中に入っていきます。朗読なり筆写なりをすることにより、身体の中にたたき込む、つまり

内在化させるのです。これを繰り返しているうちに、頭の中に英語を理解する回路が徐々に出来上がってくるのです。

本書の英文テキストもぜひ紙に書き写して運動記憶にしてしまいましょう。たったそれだけで、あなたの中によりしっかりとした英語の回路が構築できるのですから。

9. 音読で培われた私自身の英語

私が中・高校生の頃は戦争中それに戦後すぐのこととて、英語を身に付けようとしても、学習教材などがそれほど豊富ではありませんでした。そこで、一番身近にあった英語のリーダーや小野圭次郎先生の書かれた英文法や和文英訳の受験参考書を何度も何度も声を出して読んだり、紙に書き写したりしました。それ以降も、とにかく徹底的に音読を実行してきました。私の英語の基礎は音読によって培われたのです。

音読は私の習慣になりました。今でも時折通訳をさせられることがありますが、そんな時には必ず前もって、(できたらその分野の)英語の文章を声を出して読むことにしています。野球や剣道で言う「素振り」と同じなのかもしれません。こうすると、自分の中に英語の回路が作られていき、通訳の現場に臨む心と身体の準備が出来上がるのです。国の内外で英語の講演や講義を頼まれることも少なくないのですが、その時も同じです。いい年をして、

今でも音読は怠らないのです。こんな私自身の経験からも、運動記憶に結びつける只管朗読と只管筆写を心からお勧めしたいと思います。

　音読にしても、筆写にしても、書かれた英文をただひたすら読んだり書き写したりするだけの、単純な学習方法です。しかし、その効果は想像以上のものです。学生や受験時代に習ったまま、タンスの中で眠ってしまっているあなたの英語の知的記憶を、音読という簡単な手段で運動記憶として呼び覚ますだけなのですから。

10. だまされたと思ってやってみること

　本書にはCDも付けました。これを聴きながら音読や筆写をすると、正しい発音、英語のリズムも身に付けられます。具体的なトレーニング方法については、私の長年の友人である千田潤一さんが「本書の使い方」(26〜47ページ)で解説してくれていますので、参考にしてください。

　だまされたと思ってとにかくやってみてください。継続してやっているうちに、英語が話せる、英語が聞けるようになった自分を発見するはずです。あなたの身体に英語の基礎回路が構築できた後で、英語放送を見たり聞いたり、あるいは英字新聞を読んだり、英会話学校へ通ったりすると、英語の吸収力が格段に高くなっている自分を発見し、きっと驚かれることでしょう。

　「ひたすら声を出して読む」という単純な練習法こそが、外国語学習の王道だと私は考えます。実行してみると、あなたもきっとそう思われることでしょう。

英語習得の王道は「音読」

本書の使い方
英語トレーニングのやり方

(株)アイ・シー・シー 代表取締役
TOEIC Friends Club シニア・アドバイザー

千田 潤一
（ちだ じゅんいち）

　中学校の教科書に出てくる単語を全部知っていたら、TOEICでいったい何点ぐらいとれるのだろうかと思い、最近、データ処理の専門家の力をお借りして調査をしてみました。詳細は割愛しますが、結論だけ言うと、中3レベルの単語を完璧にマスターしていれば、TOEIC 500点は楽にクリアできることが検証できました。大卒新入社員のTOEICの平均が450点程度ですから、中3レベルの英語がいかにパワフルなものかお分かりいただけると思います。

　どんな目的で英語を学ぶにしても、中3レベルの英語を身体（からだ）で覚えていない人が、難しい単語やイディオムをいくら覚えてみても、「使える英語」はぜったいに身に付きません。何年も何十年も

英語を勉強しているのに、英語が使えないという人は、英語の基礎が十分に身に付いておらず、英語の「勉強」自体が空まわりしているのです。

　英語の基礎は「勉強」だけしても身に付くものではありません。「勉強」で蓄えた知識（知的記憶）を「トレーニング」によって使えるスキル（運動記憶）に変える必要があります。英語は「頭」で覚えるだけではなく、「身体」で覚えるべきものだからです。そのスキル作りの基礎となるのが、「音読」であり「筆写」なのです。

　私は、國弘先生が長年提唱されている只管朗読・只管筆写の共鳴者の1人です。使える英語を身に付けるには、意味の分かった文章をひたすら「音読」と「筆写」で身体に刷り込み(imprint)、内在化(internalize)することが必要だ、と私も信じています。そのため私は、先生の主張をベースに、音声面で若干の工夫を加えた英語の学習法を指導しているのですが、その一連の英語学習法をスポーツになぞらえて「英語トレーニング」と名付けています。

　この「英語トレーニング」は、TOEICのスコアや学習タイムを競うことが主目的ではありません。自分が現在持っている英語の知識を最大限に活用し、1人1人が設定したとりあえずの目標に到達するまで、地道にかつ着実に走り続けることが主目的なのです。既に力を持っている人も、まだまだ力が十分に無い人も、「自分のペースでひたすら訓練を続け、それぞれのゴールに到達しよう！」というのが、「英語トレーニング」の目的なのです。

1キロ走ったら次は2キロを目指し、2キロ走れたら3キロを目指す、といった具合に、走る距離を少しずつ増やしていくのです。英語力に限らず、何らかのスキルをマスターする過程（プロセス）では、ちょっと背伸びをすれば手が届くかもしれないという達成可能な目標を設定し、それに挑戦し続けながらクリアすべきバーを少しずつ上げてゆくことが大切だからです。

「英語トレーニング」の6つのルール

　この「英語トレーニング」に入る前に、次の6つを約束してください。

1　「中学校の教科書なんて恥ずかしい」という気持ちを捨てる

　中学の教科書というと「内容が幼稚すぎて…」とか「今さら、This is a pen.でもあるまいし…」という声が必ず出てきます。かくいう私も、かつてはそう思ったことがあります。

　しかし、実際に文部省検定教科書7社分すべてを自分の目でチェックしたところ、確かに一部にクラスルーム・イングリッシュ的な英語は見受けられるものの、素材の多くは大人の興味に十分堪えうるものであることが分かりました。現に、私は大学や企業の研修で中学3年のテキストを実際にメイン素材として使っていますが、300点台だったTOEICのスコアを約3年で900点直前までアップさせた人（例：鹿野晴夫さん335点→875点）や、2年半で650点から940点までレベルアップさせた60歳の方（97ページ参照）など、TOEICのスコアで証明された数多くの成功事例を見ています。本書で紹介する基本トレーニングをしっかりやった人で、TOEICで500点取れなかった人を私はまだ知りません。

　本書に収録した英文は、文部省の検定を通った7社すべての中学3年生用の英語教科書から、大人の「英語トレーニング」にふさ

わしい逸材を厳選したものです。これら7冊から12レッスンのメインテキスト全文を丸ごと収録してあります。安心してやってみましょう。「成功者とは、基本を愚直に繰り返し続ける能力の持ち主」のことを言うのだそうです。「基本的なことを恥ずかしいと思う」——そんな恥ずかしい気持ちは、この際捨てましょう。

2 最低3ヵ月間はやってみる

　本書の「英語トレーニング」は、コースをとりあえず約3ヵ月で完走できるようにプログラムしてあります。最初の12日間は上り坂を走りますので、ちょっときついかもしれませんが、一気に駆け登ってください。英語という「スキル」を身につけるためには、まず思いっきり汗をかくことが必要なのです。

　でも、安心してください、13日目からゴールまでは、ずっと下り坂です。いったん汗をかいた後は、どんどん楽になってきますので、基本トレーニングを2ヵ月、そして応用トレーニングを最低1ヵ月、合計3ヵ月は「ぜったい」やってみましょう。トレーニングの成果は普通「3ヵ月で変化・3年で結果」と言われています。その意味で3ヵ月は最初の一歩なのです（「3日ではありませんよ！」）。

3 完璧主義はやめる

　「基本トレーニング」の段階では、「ぜったい」毎日1レッスンずつやってください。分からないところがあっても心配せず、翌日

には次のレッスンに進んでください。腹八分で構いません。トレーニングに完璧主義は禁物です。

4 トレーニング中は記録をつける

例えばマラソンの場合、「もうどのくらい走ったのか、ゴールまで、あとどのくらいの距離があるか」を考えずに走り続ける人は、まずいないでしょう。誰もがゴールまでの距離を考えながら、時に時計に目をやって、走るペースやピッチを調整したり、あるいは「あと何キロ！」と自分を励ましながら走っているはずです。

英語のトレーニングも、これと全く同じです。今、自分が、コースのどこを走っているかを常に把握しておくことが大切です。本書の巻末にトレーニングの記録をつけるページが設けてあります。毎日ここにトレーニングの記録を記入していくことを「ぜったい」忘れないでください。やっているうちに分かってくるでしょうが、回を重ねる度にトレーニングの成果が必ず数字に表れてきます。これが、とかくくじけそうになる自分を励ますチアリーダーの役割を果たします。

5 ノートを用意する

トレーニングには書く作業もあります。トレーニングを始めるにあたっては、新しいノートを1冊用意してください。やむをえない日は仕方ないですが、レポート用紙のような散逸する用紙で代用するのは「ぜったい」やめてください。そのうちノートが足り

なくなってきますので、そうしたらもう1冊用意してください。ノートは、あなたがどのくらい走って、どのくらい汗をかいたかが目で見て分かる証(あかし)です。使い終わったノートは捨てたりせず、いつも見えるところにしっかり置いておきましょう。それは、「やめようかな…」という弱気の虫に打ち勝った、弱い自分との戦いの「戦利品」なのですから。

6 TOEICを受験する

　この「英語トレーニング」を実践し始めたら、出来るだけ早めにTOEICを受験してください。「英語トレーニング」のランナーには、トレーニングの成果を点数で確認できるTOEICが「ぜったい」お勧めです。

　そして、本書のトレーニングを完走しても、その後も定期的に(半年に1回くらいのペースで)TOEICを受けてください。試験の都度、多少のブレ(TOEICの測定誤差は±25点、つまり50点の誤差幅があるとされています)は出てくるでしょうが、自分のスコアが確実に上昇傾向にあるのが分かるでしょう。

　客観的なデータをもとに、自分がどのあたりを、どんなスピードで走っているのか、あるいは現在の自分の実力はどの程度なのか、また、あとどのくらい走るのかを、常に把握しておくのは大切なことです。目標がはっきりしないままトレーニングを続けても、なかなか継続できませんし、大幅な上達も望めません。

目標の立て方は、個々の方のレベルによっても異なりますが、1年で100点アップくらいがちょうどよい目標になるでしょう。1年で300点アップを目指すというような無理な目標は、挫折のもとになりますから、極端に高い目標は設定しないようにしてください。途中で何度もTOEICのスコアが下がったり、同じだったりしても落ち込まないでください。一度もスコアが下がらずに伸び続ける人は、ほとんどいません。「下がった回数だけ上がる！」と思っておくくらいの方がいいでしょう。

　私自身もTOEICは11回受験しましたが5回上がって5回下がりました。スコアはまっすぐ伸びるというより、このようにジグザグに、上下を繰り返しながらボトムがアップしていくのが普通なのです。ですから、スコアが下がったら、「もうダメだ！」ではなく、「シメタ！　次は上がる番だぞ！」と思ってください。この時の心の持ち方ひとつで、結果は大きく違ってきます。

基本トレーニング… 最初の2ヵ月間

まずは基本トレーニングです。これは2ヵ月間で終了するようプログラムされていますが、興味のある内容だったり、レベルが高すぎると感じたりした場合は、トレーニングの量を加減していただいて結構です。

❶ 自宅でのトレーニング

自宅で行う毎日のトレーニング・メニューは、以下のSTEP 1からSTEP 5までです。これを1日1レッスン単位でやってください。全部で12レッスンありますから、レッスン1から始めてレッスン12までの第1周目は、12日で終わります。第1周目が終わったら、レッスン1からレッスン12まで、再度、同じことを繰り返してやってください。これが第2周目です。第2周目からはぐんと楽になります。第2周目が終わったら、再びレッスン1から12を繰り返して、第3周目、第4周目、そして第5周目まで続けてください。

STEP 1　CDを聴き内容を推測する（推測①）　2回

最初は、テキストを見ないで1レッスン分のCDを通して聴いてください。聴き取れた単語を頼りに、テーマと内容（誰がどうした、何がどうなった）を推測してください。これをまず2回やってください。

1回目にCDを聴いて、何を言っているのかさっぱり分からないという人は、2回目はテキストの英文を見ながら、CDから流れてくる音を聴いてください。英文テキストの文字を目で追いながら、CDの音を「なぞり聴き」することで、音と文字を一致させるのです。このトレーニングは、英語を聴いても耳が空まわりするような入門レベルの方に、特にお勧めです。

言語の学習は音から始める必要があります。「音」の伴わない英語学習は効果がありませんので、このトレーニングは「ぜったい」省略しないでください。

STEP 2　意味を「理解」する

何について書かれているのか、テキストの英文を読んで、そのレッスンの内容をきちんと理解してください。トレーニング時間より辞書を引く時間の方が多い…といったことのないように、難しい単語やイディオムはページの下に日本語訳を載せておきましたので、これらを参照しながら文章の意味を十分理解してください。「意味の分かった文章」を音読・筆写するというのがトレーニ

ングの大前提です。意味が理解できていない文章をどんなに「音読」や「筆写」を繰り返してみても、英語は身に付きません。

STEP 3　音読(素読み)する (刷り込みトレーニング①)　3回

　今度はCDをかけずに、テキストを音読してください。恥ずかしいなどという気持ちは捨てて、普通の大きさの声を出して読むことを「ぜったい」忘れずに、3回繰り返して読んでください。
もちろん3回以上やってはだめということではありません。回数は多ければ多いほどそれなりの効果が出てきます。以前TOEIC 900点以上の方々に集まっていただいて学習法の交換会をしたことがありますが、全員の共通点は「のどがカラカラになるまで、何回も繰り返し音読した経験がある…」でした。

STEP 4　音読しながら「筆写」する（刷り込みトレーニング②）　3回

　次は、テキストを音読しながらノートに書き写してください。これも最低3回は繰り返しやってみましょう。3回目が終わったところで、中空を眺める感じで覚えたかどうかチェックしてください。こうして覚えることを「空(そら)んじる」と言います。3回目で空んじることができなかったら、もう2回「音読筆写」してみてください。5回目には「ぜったい」できるようになりますから。

　書き写す際は、必ず声を出しながらやってください。これは理解した英文を五感をフル動員して身体に刷り込み、モノにする（＝internalize＜内在化する＞）ための基本となるトレーニングだからです。ワープロのキーボードではなく、「ぜったい」自分の手でノートに書き写し、それも、自分さえ読める字であれば結構ですので、なるべく速く書き写す練習をしてください。初めのうちはセンテンス毎にやってみてください。無理なく音読筆写出来るようになったら、今度はパラグラフ単位やページ単位で一気にやってみましょう。

　最後に、1分間で書き取れたワード数を測り（測り方は109ページ参照）、巻末の記録帳に記入してください。

STEP 5　もう一度CDを聴き内容を推測してみる（推測②）　1回

　さあ、仕上げです。テキストを見ないで、もう一度そのレッスンのCDを聴いてください。そうすると、STEP 1では聴き取れなかったことが、だんだんと分かるようになってきて、その場面・状況＝絵（イメージ）がくっきりと頭の中に浮かんでくるようになるのを体験するはずです。ここまでのところで、既に「意味の分かった文章」を何度もトレーニングを通して「刷り込み」をしているわけですから、最初に聴いた時よりよく分かるのは当り前ですが、このような「分かった！」、「できた！」という成功の疑似体験を重ねることによって、自分を励まし続けるエネルギーが湧いてくるのです。

❷ 通勤・通学途上でのトレーニング

　通勤・通学の行き帰りには、CDプレーヤーを使ったトレーニングができます。テキストを見ないでCDを聴いてください。聴きっぱなしで結構ですから、既にトレーニングしたレッスンだけ

でなく、まだトレーニングをしていないレッスンも含め、最初から最後までCDを通して聴いてください。トレーニングしたレッスンは理解出来るでしょうが、まだやっていないレッスンはあまり分からないかもしれません。それでいっこうに構いません。

「基本トレーニング」を毎日自宅で愚直にしているうちに、聴き取れるレッスンが少しずつ増えてくるのに気付くはずです。そんな「分かるようになる喜び」、「成長する喜び」を「毎朝・毎夕」の通勤・通学の時間に味わっていただきたいと思います。

その際、イヤホンを付けるのは、片方の耳だけにしてください。実際に英語が話される場面に雑音が無いという状況はあり得ません。雑音も一緒に耳に入れながら、流れてくるCDの音を頼りに、内容を追いかけるのです。

CDを聴く時は、頭の中で絵を描くつもりで聴きましょう。頭の中に白い紙があると想定して、CDを聴きながら、CDから流れてくる英語の音を頼りに、その場面を頭の中の紙の上に絵に描いていってください。リスニングは頭で想像する活動ですから、この音を聴いて絵を思い浮かべる作業は「ぜったい」欠かさないでください。

電車を降りてから自宅(または会社・学校など)まで歩く間は、CDを聴きながら、ボソボソ声を出して、CDの音に重ねて言ってみましょう(シャドウイング)。「歩きながらのシャドウイング」は、歩くというリズムがメトロノームのような役割をしますから、英語のリズム体得には絶好のトレーニング方法です。

応用トレーニング…次の1ヵ月間（3ヵ月目）

　「基本トレーニング」は、2ヵ月間計画的に実行することが「ぜったい」必要です。しかし、これからやる「応用トレーニング」では、トレーニングの「内容」や「量」は、気分に応じてやっていただければ結構です。マラソンコースを100メートル競走のように全力で走ったら、すぐ息切れしてしまいます。応用トレーニングの段階に入ったら、メニューやペースは、トレーニング自体をエンジョイできるよう、自分で調節してください。無理はしないでください。疲れた時はペースを落としても結構です。ただし、「ぜったい」立ち止まらないでください。少しずつでも進んでいれば、いつかは必ずゴールに到達できます。基本トレーニングの2ヵ月間と応用トレーニングの1ヵ月間の最低3ヵ月間は、トレーニング・ゼロという「空白の1日をぜったいに作らない！」という気持ちで、毎日やることがポイントです。

　この段階に入ったら、「音読をする」、「通勤通学途上でCDを聴く」、「音読筆写」による「刷り込みトレーニング」をするのに加えて、次の3つも試してみてください。

❶ 書き取り (Dictation)

　CDを流しながら、聴き取れたところを書き取ってください。こ

のトレーニングは「英語の音が絵どころか文字にすらならない」という症状の人にお勧めです。最初は、1語か2語しか書き取れないかもしれませんが、慣れるに従って、3語、4語と増え、だんだんセンテンス単位で書き取れるようになってきます。ear-span（音を一気に聴き取る範囲）が広がれば、「音」が「文字」になり、徐々にイメージ=「意味」に置き換えることができるようになるのです。

　1日テキスト1ページ分ぐらいから始めてみてください。CDを流しながら、聴き取れたところまで書き取りますが、3回繰り返し聴いても書き取れない部分はブランクにしておき、最後にテキストの英文と照合してください。1ページがツラくなく出来るようになったら、次からは2ページ…とページ数を徐々に増やし、最終的には、1日1レッスン分ぐらいの量にチャレンジしてみてください。このdictationは、普通のスピードで流れてくる英語の音をサッとつかみ取る耳の瞬発力をつけるだけなく、単語の音が連なった時の「音の変化の法則（変音化現象）」、つまり音の変化球に強い耳も作り、耳の「守備範囲」を確実に広げてくれます。また文の構造を考えながら書き取っていきますから、知らず知らずのうちに文法の強化トレーニングにもなります。

❷ ぶつぶつ声を出しながらのカタカナでの書き取り(カタカナDictation)

　書き取れなかったところをブランクにして書き取りすることに抵抗を感じる人は、CDを流しながら、聴こえた英文をぶつぶつ「音読しながら」書き取ってみてください。そして書き取れなかった部分は「カタカナで」聴こえたまま書いておいてください（これをカタカナdictationと言います）。あとで、自分の書いたカタカナと、テキストの英文とを比べてみると、自分の苦手な音や連続音（音のつながり方）などがよく分かります。これも3回繰り返し聴いて、1日テキスト1ページ分を書き取ってみてください。

❸ 暗唱してみる (Recitation)

　トレーニングしたレッスンのなかで「これは自分で覚えてみたい！」と思うレッスンや、内容に感動したレッスンを選んで、そのレッスンを空(そら)で言うトレーニングをしてみてください。全部のレッスンを覚える必要は全くありません。コンピュータが好きな人はレッスン1とか2、環境問題に興味がある人はレッスン11などと、「気に入った」文章を、テキストを見ずに「感情を込めてそのまま口に出す」のがポイントです。興味のあるレッスンを暗唱すればいいのです。内容にあまり関心が持てないレッスンにいやいやトライしても、効果はあまり上がりませんので、すべてのレッスンを全部暗唱することは敢えてお勧めしません。すべて暗唱することよりも、「暗唱するコツ」をつかむことを主眼としてください。

　1人でやるトレーニングはどうしても単調になりがちです。出来れば一緒に走る仲間が見つかると、励みになります。夜忙しい人は、朝10分でも15分でも早く職場や学校に行って、仲間と一緒

にやってみてはいかがでしょうか。ESSや大学生協の英語サークルなどで仲間と一緒にやっている学生さんたちや、朝、早めに出社して同僚と2人で机を並べて「刷り込みトレーニング」をやっている社会人の方々（例：日本精工の社員の皆さん）を、私は何組も知っています。特に会話中心のレッスンなどは、パートを交互に分担しあって、「暗唱」で演じ合ってみる（role-play）と、すばらしい効果が出てきます。自分がその役になり切って、「心を込めて」演じてみるのがポイントです。

感動・感激する瞬間

　昨今、英語習得法としての「音読」がブームとなっていますが、この「音読法」がポピュラーになったルーツをたどれば、國弘正雄先生の「只管朗読・只管筆写」に行き着くことは、多くの英語教育関係者の認めるところです。

　"同時通訳の神様"と呼ばれている國弘先生とお仕事をするということは、私にとって神様のお手伝いをさせていただくことに等しいことです。その思いから、國弘先生の思想をなるべく具体的な形で示すことが出来るよう、詳細までは今まであまり公開してこなかった、私のトレーニング・ノウハウの基本のすべてをここに紹介したつもりです。

　かつて先生と食事をご一緒させていただいた折に、「千田さん、

自分が長年主張してきた只管朗読・只管筆写用のテキストを書くことは、僕の人生の宿題なんですよ」という言葉をお聞きしたことがあります。また、あまたの出版社から先生に中3レベルの「音読・筆写」用のテキストを執筆して欲しいという依頼があったことも知りました。以来、いつかそのお手伝いができればと思っておりましたが、今般、このような形で國弘先生の「人生の宿題」を仕上げる作業の一端を担わせていただくことができ、まことに光栄の至りです。

さて、これまで紹介したトレーニング方法を読んで、ただ「なるほど」と思っている方はいませんか。思うだけで実践しなければ、何の変化も起きません。今までのあなたのままです。どんなにすばらしい教材、どんなにすばらしい先生に巡り会えても、ながめているだけでは、使える英語は「ぜったい」身につきません。「英語回路」があなたの身体に作れるかどうかは、このプログラムに沿った一連のトレーニングを、自分自身で実際にやってみて、自分で汗をかくかどうかにかかっています。

一連のトレーニングをすべてやることが面倒に感じる方は、國弘先生のおっしゃる「ひたすら声を出して読む」という原点に立ち返り、「音読」に絞ったトレーニングをしていただいても結構です。

いずれにしても、「基本」を「基本的」に「毎日」「愚直」にやっているうちに、ある日、実際の会話の場面で、トレーニングでやった英語がポロっと口から出てきて感激する場面を経験することでしょう。

それが「モノにした」瞬間、あなたの身体に「英語回路」、そしてさらに「成功回路」が出来始めた瞬間なのです。その瞬間はある日、突然訪れます。

　この瞬間が訪れたら、今度は別のトレーニングに挑戦してみるとよいでしょう。この段階に来れば、英語の力はトレーニングをした時間に比例してグングン伸びてきます。別の教科書にトライしてみる（今度は高校1年以上のもの）、テレビやラジオの英会話番組を利用してみる、英会話学校に通ってみる、語学研修に参加してみる、などの形でどんどん新しいトレーニングにチャレンジしたり、生の英語環境に身を浸して、実際に英語を「使ってみる」ことです。

　身体に「英語回路」が出来る日は、「ぜったい」来ます。しかし、その「回路」は自分自身で作るしかないのです。「人間の身体は必ず変わる。自分の身体は自分で変えよう！」──最後に、そう皆さんに訴えたいと思います。

　長きにわたる英語学習の途中、苦しいことや辛いことが何回もあるでしょう。そんな時には皆さんの横で、國弘先生と私が一緒に走っている…、そうイメージしていただければ幸いです。本書をお読みになった皆さんが、「もっと出来るようになった自分、もっと素敵になった自分に出会う日」を楽しみにしながら、「英語トレーニング」を続けられ、1人1人が自ら設定したゴールに1日も早く到達されますよう期待しております。

Go for it !!　(頑張ってください！)

　本書に執筆の機会を与えていただいた講談社インターナショナルの藤本信彦さんと拙稿を仕上げていただいた辻由起子さんに心から感謝いたします。

　本稿を全国の悩める英語学習者の皆さんと、國弘正雄先生を産み、育て、昨年3月に逝去された先生のお母さま(享年91歳)に捧げます。

2000年2月2日　千田 潤一

実践編

- **LESSON 1** The Internet
- **LESSON 2** The Development of Computers
- **LESSON 3** A Blend of Cultures
- **LESSON 4** A Famous Old Town
- **LESSON 5** A Pajama Party
- **LESSON 6** Making a Speech
- **LESSON 7** Mika's Speech
- **LESSON 8** Let's Have a Debate!
- **LESSON 9** Ha, ha, ha ....
- **LESSON 10** On the Top of the World
- **LESSON 11** Protect Our World
- **LESSON 12** I Have a Dream

LESSON 1

The Internet

利用者が急増しているインターネット。
世界中に張り巡らされた
このコンピューターネットワークを
あなたも使っていますか。

♥ STORY

コンピューターと電話線さえあれば、インターネットを使って電子メールを送ることができる。日本国内だけでなく、海外ともやり取りが可能だ。インターネットでニュースを読むこともできる。しかし、「大文字ばかりを使わない」「長い文章を書かない」などといった電子メールを書く際のマナーもあると言われている。カズオはお父さんのコンピューターで、インターネットを介してカナダの少年とのやり取りを楽しんだ。

このレッスンは株式会社 秀文出版『Total English 3』Lesson 1 からです

LESSON ❶ The Internet

▶インターネットを使って何ができますか

The Internet is the largest of all computer networks. No one owns it, but anyone can use it. With only a computer and a phone line, you can send and receive letters in minutes. You can use libraries and read the news. You can talk with people in the same building or in other countries. Even the U.S. President has an Internet address:

President@whitehouse.gov.

WORDS

Internet [íntərnet] インターネット **computer** [kəmpjúːtər] コンピューター
network(s) [nétwəːrk(s)] ネットワーク **own(s)** 所有する **news** [n(j)uːz] ニュース
building [bíldiŋ] 建物 **even** [íːvn] 〜でさえ **president** [préz(ə)dənt] 大統領 **@** = at
(場所を示す) **whitehouse.gov** [(h)wáithaus dʒíːouvíː] ホワイトハウスの電子メールアドレス

▶電子メールを書く時に気を付けることは？

Meg: I hear that they have some interesting rules.
Kazuo: Yes, they do. Here, take a look.

RULES:
1) Don't use all capital letters
   (IT'S LIKE SHOUTING!)
2) Don't write looooooong letters
3) Show emotions when necessary
4) Don't ask silly questions

Mika: I think rule No. 4 is really funny.
Kazuo: Yeah. People sometimes get really mad. Then they SHOUT AT YOU!

WORDS

rule(s) [ru:l(z)] ルール　**take a look** 見る　**capital** [kǽpətl] 大文字　**looooooong** =long 長い　**emotion(s)** [imóuʃən(z)] 感情　**silly** [síli] ばかげた　**No. 4**= number 4 4番　**funny** [fʌ́ni] おかしい　**mad** [mæd] 怒って　**get mad** 怒る　**shout at** ～にどなる

LESSON ① The Internet

▶カズオはインターネットで何をしましたか (Track 4)

Kazuo: My dad uses the Internet for work. I tried it last night.
Ben: Who did you talk with?
Kazuo: I talked with a boy in Canada.
Ben: That's amazing! What did you talk about?
Kazuo: We talked about music and sports. And everything was done in English.
Meg: English is a very useful language.
Kazuo: Yeah. I hear that over 70 percent of the world's mail is written in English.

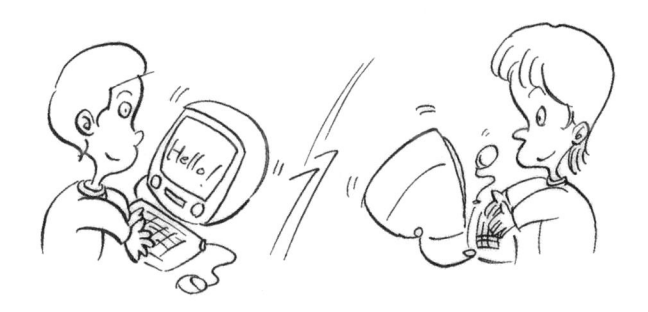

WORDS

Canada [kǽnədə] カナダ　**amazing** [əméiziŋ] 驚くべき　**done** [dʌn] < do「する」の過去分詞　**language** [lǽŋgwidʒ] 言語　**over** [óuvər] 〜を超える　**percent** [pərsént] パーセント　**mail** [meil] 電子メール

LESSON 2

Track 5

The Development of Computers

コンピューターにはどんな歴史があるのでしょうか。
ここでは、学校のコンピューター室で、ジョンが久美に、コンピューターの歴史について説明します。

▼ STORY

パスカルが税務署員の父を手助けしようと思って、計算機を作ったのは1642年だった。その後、1940年代のアメリカにはコンピューターの初期モデルが登場したが、サイズが大きいなどの難点があったため、1960年代に小型化された。1969年に日本人の嶋正利氏が渡米し、2年後の1971年にマイクロプロセッサーを作った。このマイクロプロセッサーはパソコン以外の機器にも使われている。コンピューターの良さを引き出すのは、われわれがどう自分の頭で考えて使うか次第だ。

このレッスンは開隆堂出版株式会社『Sunshine English Course 3』Program 3からです

LESSON ❷ The Development of Computers

▶ ジョンと久美は学校のコンピューター室にいます

Kumi: Do you know how to use this computer?
John: Um, I've never used this type before. It's different from mine. But I'll try. Wait a minute.... Here it goes!
Kumi: Oh! You know a lot about computers. Where did you learn so much?
John: At school. Do you want to know a story about the development of computers?
Kumi: Yes, I do. Tell me.

▶ パスカルが父のために作ったものとは？   Track 6

A lot of people worked for the development of computers. Pascal was one of them. His father was a taxman and was very busy. Pascal

パスカル

WORDS

development [divéləpmənt] 発達　**type** [taip] 型　**be different from ~** ～とは違う
Here it goes. さあ、始めるぞ、そらっ　**learn** [lə:rn] 学ぶ　**Pascal** [pǽskl, pæskǽl] パスカル　**taxman** [tǽksmæn] 税務署員

wanted to make the work easier for him.

In 1642, when he was nineteen years old, Pascal made a calculating machine. Though it was a simple manual machine, it was a great help to his father.

▶嶋 正利氏はアメリカで何を作りましたか　Track 7

Modern computers appeared in America in the 1940s. One of the earliest types was very large and you could walk inside it. It was as heavy as thirty tons. In the 1960s they became much smaller and lighter.

In 1969, Mr. Masatoshi Shima went to the United States. He and his partners worked very hard to make a new type of computer. They completed it in 1971. We now call it a microprocessor.

WORDS

calculate, calculating [kǽlkjəleit(iŋ)/-kju-] 計算する　**machine** [məʃíːn] 機械　**though** [ðou] 〜だけれども　**simple** [símpl] 簡単な　**manual** [mǽnjuəl] 手動の　**modern** [mɑ́dərn] 現代の　**appear(ed)** [əpíər(d)] 現れる　**large** [lɑːrdʒ] 大きい　**inside** [insáid] 〜の中で　**ton(s)** [tʌn(z)] トン　**light** [lait] 軽い　**partner(s)** [pɑ́ːrtnər(z)] 仲間　**complete(d)** [kəmplíːt(id)] 完成する　**microprocessor** [máikrouprɑsesər/-prou-] マイクロプロセッサー

LESSON 2 The Development of Computers

▶ コンピューターの特徴とは？ Track 8

Can we find microprocessors around us? Yes, a lot. In washing machines, personal computers, game machines, and many other things.

The computer is very useful. It does a lot of work very quickly. It does not get tired at all. But it cannot think or imagine. Only we can do that. The value of the computer depends on our creative use of it.

「ぜったい」おススメ ❶

テープで聴く際は、オートリバース機能はOFF！

　本書にはCDが付属されていますが、通勤・通学の際のトレーニング用にカセットテープにダビングして使う人も出てくるだろうと思います。そんな場合、テープレコーダーのオートリバース（自動反転）機能はオフにしてください。テープの片面が終われば、その都度テープをひっくり返し、自分の手でまた再生ボタンを押して、次を聴きましょう。こうしたちょっとした刺激が、あなたのトレーニングが惰性に流れることから救ってくれます。(千田)

WORDS

wash(ing) [waʃ(iŋ)] 洗う　**personal** [pə́ːrsnl] 個人の　**useful** [júːsfəl] 役に立つ
quickly [kwíkli] 速く　**not ~ at all** 少しも～しない　**imagine** [imǽdʒin] 想像する
value [vǽljuː] 価値　**depend(s)** [dipénd(z)] ～次第である　**depend on ~** ～次第である　**creative** [kriéitiv] 創造的な

LESSON 3

Track 9

A Blend of Cultures

日本はいろいろな国からの影響を受けました。その影響が言葉や食生活など、私たちの身のまわりの様々なところに見られます。

● STORY

16世紀にポルトガル人が日本にやってきた。彼らは「パン」や「かるた」などの言葉を持ってきた。カボチャもポルトガル人によって持ち込まれた。英語を持ち込んだのはウィリアム・アダムズ(三浦按針)だった。日本との長期にわたっての貿易が許可されたヨーロッパの国はオランダだけで、この国を通して浮世絵などの日本の芸術がヨーロッパで紹介され、日本人は西洋の科学や文化を学ぶことができた。中国や朝鮮との交流は盛んで、寺院や祭事、食生活にその影響を見ることができる。

このレッスンは開隆堂出版株式会社『Sunshine English Course 3』Program 4からです

LESSON 3 A Blend of Cultures

▶ ポルトガル人はどんな影響を残しましたか

About the end of the thirteenth century, Japan was first introduced to Europe in a book. Later, in the sixteenth century, the Portuguese came to Japan for the first time.

Their influence was great. It is still found in many Japanese words. One such example is *pan*. It comes from the Portuguese word for "bread." Another example, *karuta*, comes from the Portuguese word for "card."

WORDS

blend [blend] 混合　**century** [séntʃəri] 世紀　**introduce(d)** [intrədjú:s(t)] 紹介する
Portuguese [pɔːrtʃəgíːz/-tʃu-] ポルトガル人　**influence** [ínfluəns] 影響　**bread** [bred] パン　**card** [kɑːrd] カード

▶ どんな食べ物が海外から入ってきましたか

Many kinds of food were introduced from abroad. For example, pumpkins were brought by the Portuguese from Cambodia. The Japanese named them *kabocha* after Cambodia.

Potatoes were introduced by the Dutch from Jakarta. The Japanese called them *jagatara-imo* after Jakarta. Later they called them *jagaimo* for short.

WORDS

pumpkin(s) [pʌ́mpkin(z)] カボチャ　**brought** [brɔːt] <bring「持ってくる」の過去分詞　**Cambodia** [kæmbóudiə] カンボジア　**potato(es)** [pətéitou(z)] ジャガイモ　**Dutch** [dʌtʃ] オランダ人　**Jakarta** [dʒəkɑ́ːrtə] ジャカルタ　**for short** 略して

LESSON 3 A Blend of Cultures

▶英語を日本に持ち込んだのは誰？

When was English first brought to Japan? In 1600 by an Englishman, William Adams. But he spoke Portuguese, because English was not understood in Japan then.

Adams lived in Japan and worked for Ieyasu. Thanks to Adams, Ieyasu exchanged letters in English with the king of England.

Today Adams is known as Miura Anjin.

WORDS

1600(= sixteen hundred) 1600年　**Englishman** [íŋgliʃmən] イギリス人　**William Adams** [wíljəm ǽdəmz] ウィリアム・アダムズ　**spoke** [spouk] < speak「話す」の過去形　**understood** [ʌndərstúd] <understand「理解する」の過去分詞　**thanks to ~** ～のおかげで　**king** [kiŋ] 王　**known** [noun] < know「知っている」の過去分詞

▶オランダとの貿易のメリットとは？ Track 12

Some European countries asked Japan to trade with them. Japan agreed, but only the Dutch were able to trade for a long time. They took out pottery, *ukiyoe* pictures and many other things from Dejima. Those things interested European people very much. Many years later, van Gogh was influenced by *ukiyoe* pictures.

From the Dutch, the Japanese learned a lot about Western science and culture. These studies were called *Rangaku*.

▶中国や朝鮮の影響は何に見られますか Track 13

Was Japan closed to all other countries in the world? No, of course not. It was always open to China and Korea. Even today their influence is seen in temples, festivals, and food.

WORDS

European [ju(:)rəpí(:)ən/juərə-] ヨーロッパの　**trade** [treid] 貿易する　**agree(d)** [əgríː(d)] 同意する　**took** [tuk] < take「取る」の過去形　**pottery** [pátəri] 陶器類　**interest(ed)** [íntərist(id)] 興味を起こさせる　**van Gogh** [væn góu]ゴッホ　**Western** [wéstərn] 西洋の　**science** [sáiəns] 科学　**Korea** [kouríːə/kəríə] 朝鮮　**temple(s)** [témpl(z)] 寺院　**festival(s)** [féstəvl(z)] 祭り

LESSON ❸ A Blend of Cultures

Do you know where *udon* and *miso* came from? *Udon* came from China and *miso* from Korea.

・・・◆・・・　・・・◆・・・　・・・◆・・・

As you see, Japanese culture is a blend of different cultures. This blend has made our lives rich and interesting.

「ぜったい」おススメ ❷

英語の一気読みトレーニング！

　今まで行ってきた大学や企業での英語研修の経験から、TOEICのスコアが上がると一息で言える単語数が増えてくることに気付きました。TOEICスコアの100点が英単語1語に相当し、300点なら3語の文、500点なら5語の文が一息に言えるのです。トレーニングの際は、一息で何語まで言えるか、意識して行ってみてください。私はこれを「英語の一気読みトレーニング」と言って、皆さんにお勧めしています。（千田）

WORDS

rich [ritʃ] 豊かな

LESSON 4

Track 14

A Famous Old Town

ティナやあきなど、ティーンエイジ・サミットの参加者が、鎌倉見学に出かけます。さあ、彼女たちはどんなところを訪れたのでしょうか。

● STORY

　今日は鎌倉見学の日なのに、ティナが遅刻したため、1台遅い電車で出発することになった。あきの説明によると、鎌倉は1192年に源頼朝が鎌倉幕府を開いたところとのこと。まず訪れた円覚寺は1282年に建てられた禅寺で、禅宗は12世紀に日本に伝えられ、武士の間で広まった。以来800年にわたって、日本人の生活に影響を与えている。鎌倉の大仏は13世紀に建てられ、1495年に津波で仏堂が破壊されて以来、寺院の庭に露座している。

このレッスンは教育出版株式会社『One World English Course 3』Lesson 2からです

LESSON 4 A Famous Old Town

▶鎌倉見学の当日、誰かが遅刻してきました

The train has just arrived. People are waiting to get on.

People are getting on the train, but Tina has not arrived yet.

It is 8:40. The train is leaving. Tina is running along the platform.

Their train has already left. They have to wait for the next train.

WORDS

get on 乗る　**8:40** = eight forty 8時40分　**platform** [plǽtfɔːrm] プラットホーム
already [ɔːlrédi] 既に　**wait for ~** ~を待つ

▶ あきが鎌倉の歴史や文化について説明します　Track 15

Kamakura is one of the oldest towns in Japan. Yoritomo set up his government there in 1192. It has been an important place since then.

We will visit Engaku-ji first. It is a famous *zen* temple. It was built in 1282. *Zen* came to Japan in the 12th century, and became popular among the *samurai*.

During the eight hundred years of its history, *zen* has influenced Japanese life. It has also influenced some 20th century American writers.

▶ あきが鎌倉の大仏について説明します　Track 16

This is the famous "Great Buddha." It was built in the 13th century. It has been famous in Japan for seven hundred years. It was inside a building until 1495, but in that year the building was destroyed by a great *tsunami*.

WORDS

set up ~ ~を設立する　**since** [sins] ~以来　**temple** [témpl] 寺院　**12th** = twelfth 12番目の　**became** [bikéim] < become 「~になる」の過去形　**influence(d)** [ínfluəns(t)] 影響を与える　**20th** = twentieth 20番目の　**writer(s)** [ráitər(z)] 作家
Great Buddha [greit búːdə] 大仏　**13th** = thirteenth 13番目の　**inside** [insáid, ínsaid] ~の中に　**until** [əntíl] ~まで　**destroy(ed)** [distrɔ́i(d)] 破壊する

LESSON 4 A Famous Old Town

It has been outside since then. We can go inside the statue.

By the way, which is bigger, the Great Buddha in Kamakura or the one in Nara? Do you know?

鎌倉の大仏

「ぜったい」おススメ ❸

速写トレーニング！

私は、1分間に書き写せる単語数も、TOEICのスコアが上がるにつれて増えると思っています。英語力が伸びてくると、目で即座にとらえることのできる単語の数が増え、場合によっては文単位でとらえることができるようになるので、速く書き写せるようになります。TOEICスコアが900点ぐらいの人なら、1分間に30語ほどは書き写せます。筆写する際は、1分間で何語書けるか、スピードを上げてトレーニング（速写）することをお勧めします。（千田）

WORDS

outside [autsáid, áutsaid] 〜の外に　**by the way** ところで

LESSON 5

Track 17

A Pajama Party

スーは、アルバイト先にやってきた友人のパットをパジャマ・パーティーに誘います。これはいったい、どんなことをするパーティーでしょうか。

♥ STORY

スーのアルバイト先はおじさんの帽子屋。そこへ友人のパットがやってきた。スーは今週の金曜日に他の友人と一緒に開くパジャマ・パーティーに、パットを誘った。当日、スーの家に寝袋とパジャマを持った友人が集まり、用意されたホットドッグとスイカを食べた。その後はひたすらおしゃべりを楽しむのがこのパーティーの目的。エレンがジョージとデートした時に彼が財布を忘れたことなど、賑やかなおしゃべりは夜遅くまで続いた。

このレッスンは東京書籍株式会社『New Horizon English Course 3』Unit 4からです

LESSON 5 A Pajama Party

▶ スーのアルバイト先にパットがやってきました

Pat: Hi, Sue! Do you work here?

Sue: Yes, I was hired by my uncle. He needs extra help in summer.

Pat: Those hats on the wall are nice. What are they made of?

Sue: They're made of banana leaves.
So, how is everything?

Pat: All right, but I miss seeing everybody.

Sue: Say, I'm having a pajama party at my house this Friday. Why don't you come?

Pat: Sure.

Sue: I've invited Mary, Yoko, and Ellen, too.

WORDS

hire(d) [háiər(d)] 雇う **extra** [ékstrə] 臨時の **hat(s)** [hæt(s)] 帽子 **wall** [wɔːl] 壁
be made of ~ ~で作られている **banana** [bənǽnə/bənάːnə] バナナ **everybody** [évribὰdi/évribɔ̀di] みんな

▶ そして、パジャマ・パーティーの当日です　Track 18

On Friday evening Yoko, Mary, Ellen, and Pat came to Sue's house with their sleeping bags, pajamas, and everything.

"Are you ready to eat? We have hot dogs and watermelon in the yard. It's cooler out there," Sue's father said.

It was just a simple dinner, but who cared? After all, the fun of a pajama party is talking and talking. The girls changed into their pajamas and sat on the floor in Sue's room.

▶ どんなことをおしゃべりするのでしょうか　Track 19

Sue:　So, what do you think of George?

Mary:　He's cute, and he's on the football team, but he's not my type.

WORDS

sleeping bag(s) [slíːpiŋ bǽg(z)] 寝袋　**ready** [rédi] 準備ができて　**be ready to ~** ~する準備ができている　**hot dog(s)** [hát dɔ́ːg(z)/hɔ́t dɔ́g(z)] ホットドッグ　**watermelon** [wɔ́ːtərmèlən] スイカ　**Who cared?** どうだってよかった　**after all** 結局　**floor** [flɔːr] 床　**George** [dʒɔ́ːrdʒ] ジョージ　**type** [taip] タイプ

LESSON 5 A Pajama Party

Pat: I think George likes Ellen. Ellen, didn't you go out with him?

Ellen: I sure did.

Yoko Where did you go?

Ellen: We went to the movies. But you know what? He forgot his wallet, so I paid for everything.

Mary: You're kidding!

Ellen: Then I had to lend him money for the bus home.

Pat: （笑いながら）That's a date to remember!

They laughed and talked until late at night.

「ぜったい」おススメ ❹

覚えられなければ書くトレーニング！

イギリスの哲学者フランシス・ベーコンが「書くことは正確な人間を作る」と言ったという話を、かつて國弘先生からお伺いしたことがあります。私も自分で英語を大量・高速で書くトレーニングをしてみて、全くそのとおりだと実感できるようになりました。手を動かして身体に覚え込ませることによって、知識などが運動記憶となって長く残り、自分のものになっていくからです。一生懸命読んでいるのに覚えられないという人は、ぜひ「書く」トレーニングも導入することをお勧めします。（千田）

WORDS

go out with ~ 〜と交際する　**movie(s)** [múːvi(z)] 映画　**You know what?** ねえ、聞いてくれる？　**forgot** [fərgát/fəgɔ́t] < forget「忘れる」の過去形　**wallet** [wɑ́lit/wɔ́lit] 財布　**paid** [peid] < pay [pei] 「支払う」の過去形　**had to ~** 〜しなくてはならなかった　**lend** [lend] 貸す

LESSON 6

Track 20

Making a Speech

ここでは、スピーチをする時の心構えを学びましょう。
来週は恵美が学校でスピーチをする番です。

♥ STORY

　恵美は来週学校でスピーチをすることになっているが、ゆううつな気持ちを友人のベッキーの母に打ち明ける。日本人はスピーチが下手だと思い込んでいる恵美に対して、アメリカ人も同じようにスピーチの前は緊張するとベッキーの母は言い、前向きな気持ちで臨むようアドバイスする。当日、恵美はケニアで活躍する日本人ボランティアについて話す。間違いもしたが、笑い飛ばしたことで、恵美はクラスメートから喝采を浴びた。

このレッスンは中教出版株式会社『Everyday English 3』
Lesson 4からです

LESSON 6 Making a Speech

▶ あなたのスピーチ経験は？

Have you ever spoken in front of your class? Don't you feel nervous when you open your mouth to speak? Let's learn about Emi's feelings.

▶ 恵美が自分の気持ちをベッキーの母に打ち明けます　Track 21

Emi: Everyone in Ms. Hill's class has to make a speech, and it's my turn next week.

Mrs. Smith: That sounds interesting. The students in my class also give short speeches every Monday. They can choose any topic they like. Everyone enjoys giving a speech.

Emi: Enjoys it? I like talking with my friends. But I hate speaking in front of large groups. Japanese are poor public speakers.

WORDS

speech [spi:tʃ] スピーチ　**make [give] a speech** スピーチをする　**spoken** [spóukn] < speak [spi:k]「話す」の過去分詞　**front** [frʌnt] 前部　**in front of ~** ～の前で　**nervous** [nə́:rvəs] あがっている　**learn about~** ～のことを知る、聞く　**feeling(s)** [fí:liŋ(z)] 気持ち　**Hill** [hil] ヒル(人の姓)　**Mrs.** [mísiz] ～夫人　**sound interesting** (話を聞くと)おもしろそうだ　**topic** [tápik] トピック　**large** [lɑ:rdʒ] 大きい　**public** [pʌ́blik] 公開の　**speaker(s)** [spí:kər(z)] 話す人

Mrs. Smith: I don't think so. I'll tell you some interesting facts I've learned about public speaking.

▶ アメリカ人もスピーチが苦手？ Track 22

Mrs. Smith: Emi, half of all Americans sometimes feel nervous when they talk with others.
Emi: Americans? Don't they all love talking?
Mrs. Smith: No. Many of them are shy. They worry about giving wrong answers and making a poor impression.
Emi: Just like me.
Mrs. Smith: Yes. But they are not shy when they are born. They become shy because they want to be good boys and girls. Their parents always tell them, "Don't say things that people won't like."

WORDS

fact(s) [fækt(s)] 事実   **public speaking** (人前での)スピーチ   **half** [hæf] 半分
wrong [rɔːŋ] 間違った   **impression** [impréʃən] 印象   **make a poor impression** よくない印象を与える   **parent(s)** [péərənt(s)] 親

LESSON 6 Making a Speech

▶ スピーチ当日の心構えとは？

Track 23

Mrs. Smith: At American schools, students must learn not to be shy.

Emi: That's interesting.

Mrs. Smith: So, first, you must stop looking at things in a negative way. Don't think, "I said really stupid things." Say to yourself, "I will do better next time." You don't have to be perfect all the time. After your speech, someone may say something that hurts you. Just smile and say, "Thank you for your advice."

WORDS

So, first, ... だから、まず…　**negative** [négətiv] 否定的な　**stupid** [stjú:pid] ばかな
perfect [pə́:rfikt] 完璧な　**advice** [ədváis] アドバイス

▶ 恵美のスピーチです

Track 24

I'd like to talk about two Japanese women in Africa. They are helping the Kenyan people in a small village. Their names are Kesa Kishida and Tokiko Sato. They are trying to improve the people's lives in many ways.

One day Kesa and Tokiko visited a Kenyan family. The family was cooking on a very simple stove. It was made by setting three stones close together. Cooking on it took a long time.

Kesa remembered seeing a useful clay stove in an old Japanese house. "We can make clay stoves here, too," she thought.

With the help of the Japanese women, the family made a stove out of clay. Now they could cook

WORDS

I'd [I would] like to ~ ～したい **women** [wímin] < woman 女性たち **Africa** [ǽfrikə] アフリカ **Kenyan** [kénjən] ケニアの **improve** [imprú:v] ～を改善する **simple** [simpl] 簡単な **stove** [stouv]（料理用の）かまど **stone** [stoun] 石 **clay** [klei] 土、ねん土 **make ~ out of ...** …を材料にして～を作る

LESSON 6 Making a Speech

better and faster than before. After that, many other people in the village made clay stoves for their kitchens, too. Then people in other villages came to see the new stoves. Everybody quickly learned to make them.

Thanks to Kesa's idea, the Kenyan people have saved a lot of time and wood. They live healthier lives too, because now they are able to boil water more easily.

We often send money, food, or clothing to people in need. Of course, that is important. But going and lending them a hand is even better. Don't you think so?

WORDS

kitchen(s) [kítʃin(z)] 台所　**thanks to ~** ~のおかげで　**wood** [wud] 木、まき
healthier [hélθiər] < healthy [hélθi] 健康的な　**boil** [bɔil] ~を沸かす　**easily** [íːzəli] 容易に　**money** [mʌ́ni] 金　**clothing** [klóuðiŋ] 衣服　**people in need** 困っている人びと　**lend(ing)** [lénd(iŋ)] 貸す

> 翌日、恵美がベッキーの母に報告します Track 25

Mrs. Smith: How was your speech?

Emi: I took your advice. I told myself, "I don't have to be perfect." I made several mistakes. I was worried about them at first, but I turned them into a joke. My friends laughed, and I laughed, too. When I finished, they all rose and gave me a big hand.

Mrs. Smith: Good! I'm glad that your speech went well. Now, aren't you looking forward to your next chance to speak?

Emi: Well ... anyway, thank you for your advice.

WORDS

take one's advice（人の）アドバイスに従う **told** [tould] < tell「話す」の過去形 **myself** [maisélf] 私自身に **turn ~ into ...** ~を…に変える **joke** [dʒouk] 冗談 **laugh(ed)** [læf(t)] 笑う **rose** [rouz] < rise [raiz]「立ち上がる」の過去形 **glad** [glæd] うれしい **be glad that ~** ~してうれしい **forward** [fɔ́ːrwərd] 先へ **look forward to ~** ~を楽しみにして待つ

LESSON 6 Making a Speech

「ぜったい」おススメ ❺

教科書の学習ガイドでトレーニングを補おう

現在（2000年1月）、文部省の検定を受けた中学3年用の英語教科書は以下の7冊です。

『Sunshine English Course 3』（開隆堂出版株式会社）
『One World English Course 3』（教育出版株式会社）
『New Crown English Series New Edition 3』（株式会社 三省堂）
『Total English 3』（株式会社 秀文出版）
『New Horizon English Course 3』（東京書籍株式会社）
『Everyday English 3』（中教出版株式会社）
『Columbus English Course 3』（光村図書出版株式会社）

本書でのトレーニングを実践して中学3年生の教科書の内容に興味をもった人は、実際に教科書を入手して、その他のレッスンに挑戦してもよいでしょう。ただし、教科書は通常書店では手に入りにくいですから、お住まいの地域で使われている教科書の学習ガイドを購入するのがお勧めです。これは、いわゆる生徒用の"トラの巻"なのですが、日本語の完訳が付いていますから文章の意味が理解しやすいですし、大切な文法事項なども分かりやすく説明されています。特に初級〜中級レベルの学習者には適する教材だと言えます。

また、本書のトレーニングを終えて、より高いレベルの練習に取り組みたいと思う人は、高校生用の英語教科書にチャレンジされることをお勧めします。教材は何でもよいのですが、ポイントはあなたが自分で汗をかくかどうかなのです。（千田）

LESSON 7

Track 26

Mika's Speech

ミカがロンドンへの旅行について、スピーチをします。さて、ミカはロンドンでどんな体験をしてきたのでしょうか。

⊙ STORY

去年の冬に、ミカはロンドンにいる友人のテッド・ベイカーを訪ねた。ロンドンと言えばビッグ・ベンなどを思い浮かべるが、このスピーチでミカはイギリスの英語について話をする。ミカは現地の人と英語で話したが、あまり理解できなかった。それはロンドンの人はいろいろななまりで話すからだと、テッドの父は言う。ミカはスペインからの留学生と英語で話し、親しくなれた。次に行く時は、英語をもっと勉強して、世界中の人と友だちになりたいとミカは思った。

このレッスンは光村図書出版株式会社『Columbus English Course 3』Unit 3からです

LESSON 7 Mika's Speech

▶ロンドンでのミカの思い違いとは？

Mika gives a speech in front of her class.

Good afternoon, everyone. Do you remember Ted Baker? He was here in school with us last year. Well, last winter, I visited him and his family in London.

When you hear the name "London", what do you think of first? Big Ben? Double-decker buses? Piccadilly Circus? Well, they're all famous. But I want to tell you about the language spoken there. It's English, of course.

At first, I thought everyone spoke the same kind of English. But I was wrong.

WORDS

speech [spiːtʃ] スピーチ　**give a speech** スピーチをする　**front** [frʌnt] 前部　**in front of ~** ~の前で　**think of ~** ~を思いつく　**Big Ben** [bíg bén] ビッグ・ベン　**at first** 最初は　**thought** [θɔːt] < think「思う」の過去形　**spoke** [spouk] < speak「話す」の過去形　**wrong** [rɔːŋ] 間違った

▶ロンドンの英語はどんな英語？

When I went around London with Ted and his father, I talked to a lot of people there. But sometimes I couldn't understand them. Ted's father laughed. "Don't worry, Mika," he said. "People here speak English with all kinds of accents." So, for me, spoken English was certainly more difficult than written English.

The next day, Ted and I went on a sightseeing tour of London by bus. There were a lot of people from countries like France, Germany, and Spain on the bus, but they were all able to speak a little English. Since I can speak a little English, too, I made friends with some Spanish students studying in London. I didn't understand everything, but I really enjoyed talking with them.

WORDS

laugh(ed) [læf(t)] 笑う **all kinds of ~** あらゆる種類の〜 **accent(s)** [ǽksent(s)] なまり **certainly** [sə́ːrtnli] 確かに **tour** [tuər] 旅行 **like** [laik] 〜のような **France** [fræns] フランス **Spain** [spein] スペイン **make friends with ~** 〜と親しくなる **Spanish** [spǽniʃ] スペイン人の

LESSON 7 Mika's Speech

▶次にミカのしたいと思うことは？ Track 28

Next time, I want to understand more and say more, so now I'm studying English very hard. I now know that English is really useful. I want to use English to make friends all over the world.

Anyway, I had a great time during my stay in London. There was only one problem—my trip finished too quickly!

Well, that's about all, I think.

Thank you very much.

「ぜったい」おススメ ❻

『英語学習ダイアリー』を使ってみよう

自分がどれだけ学習してきたかを記録しておけば、努力のあとが確認でき、それを見ると今後も継続して学習しようという気になるものです。本書でのトレーニングの最初の2ヵ月分は巻末付録に記録できますが、それ以降の記録をつけるには、千田先生監修の『TOEIC® TEST 英語学習ダイアリー』(丸善)がお勧めです。

WORDS

hard [hɑːrd] 一生懸命に　**useful** [júːsfəl] 役に立つ　**all over the world** 世界中で
during [djúəriŋ] ～の間に　**problem** [prάbləm] 問題　**quickly** [kwíkli] 速く　**That's about all.** だいたいこれぐらいです。

LESSON 8

Track 29

Let's Have a Debate!

ここでは討論の練習をしてみましょう。
テーマは「動物園是非論」です。
賛成派と反対派は、それぞれどんな
主張をするのでしょうか。

♥ STORY

　今日は賛成派と反対派に分かれて討論をする日。マリとマコトは動物園の廃止に賛成し、ケンジとケイコは動物園を今のまま維持しようとする立場から意見を述べる。廃止賛成派は動物をオリに閉じ込めるのは残酷だと言い、反対派は動物園は珍しい種類の動物が見られる機会を与えてくれると反論する。自然の中に放置すれば、餌がなくて生き延びるのが大変な動物もいると付け加えるが、廃止賛成派は野生の動物は自然のままにしておくのが一番だと述べ、討論を終わる。

このレッスンは中教出版株式会社『Everyday English 3』Lesson 9からです

LESSON 8 Let's Have a Debate!

▶今日は討論の日

Ms. Hill: Today we're going to have a debate in English.
Koji: A debate? How do we do it?
Ms. Hill: First, I'll choose two teams. One will be for a certain opinion, and the other will be against it.

▶動物園廃止賛成派と反対派に分かれて開始 Track 30

Ms. Hill: Let's start our debate. Today's topic is zoos. Mari and Makoto will make up the first team. Your opinion will be "We should do away with zoos." And the second team ... how about Kenji and Keiko? Your opinion will be "We should have zoos." Everybody else will be judges. You start, Mari.
Mari: First of all, we should not take animals out of

WORDS

debate [díbeit] 討論　**have a debate** 討論する　**we're** = we are　**team(s)** [tí:m(z)] チーム　**be for ~** ~に賛成する　**certain** [sə́:rtn] ある定まった　**opinion** [əpínjən] 意見　**a certain opinion** あるひとつの意見　**against** [əgénst] ~に反対して
be against ~ ~に反対する　**make up ~** ~を構成する　**do away with ~** ~を廃止する
judge(s) [dʒʌ́dʒ(iz)] 審査員　**You start, Mari.** マリ、あなたから始めなさい。
first of all まず第一に　**take ~ out of ...** ~を…から連れ出す

their natural surroundings. They're happiest there. It's cruel to take them away from their homes and put them in cages.

▶動物は動物園でしか見られない? Track 31

Ms. Hill: Questions for Mari, please.

Kenji: If we don't have zoos, we won't have a chance to see unusual animals.

Mari: Is that really true? Today we have TV, movies, and videos. There are many ways to see animals living natural lives.

Keiko: But children won't have a chance to make friends with them.

Makoto: Have you ever seen tigers in a cage? How do they spend their days? They're always pacing up and down. They look very unhappy. Do you

(WORDS)

natural [nætʃrəl] 自然の **surrounding(s)** [səráundiŋ(z)] 環境 **cruel** [krú:el] 残酷な
true [tru:] 本当の **~ living natural lives** 自然な生活をしている~ **make friends with** ~ ~と親しくなる **seen** [si:n] < see「見る」の過去分詞 **tiger(s)** [táigər(z)] トラ
spend [spend] 過ごす **pacing** [péis(iŋ)] < pace「行ったり来たりする」の現在分詞
pace up and down (いらいらして)行ったり来たりする **unhappy** [ʌnhǽpi] 不幸な

think they want to be friends with children? And children aren't happy to see such miserable animals.

▶ 自然の中では生きていけない動物がいる？ (Track 32)

Ms. Hill: Now it's your turn, Kenji.

Kenji: Animals need human protection. For example, think about pandas. In the wild, they sometimes can't find enough to eat. They may be killed by people or other animals. But in zoos, pandas are protected. They're safe.

Makoto: That's an entirely different problem. We should protect animals in their natural surroundings.

WORDS

miserable [mízrəbl] みじめな   **protection** [prətékʃən] 保護   **panda(s)** [pǽndə(z)] パンダ   **wild** [waild] 荒野   **protect(ed)** [prətékt(id)] 守る   **entirely** [intáiərli] 全く

▶ 動物はもとのすみかに戻すのが一番？ (Track 33)

Kenji: Do you mean animal parks with lots of open space? They're a kind of zoo, I think.

Makoto: No. I want animals to be in their real homes in the wild.

Keiko: Then we'll never have a chance to see them!

Mari: That doesn't matter. Wild animals are a part of our earth, and we should try not to disturb them. Children can make friends with other animals ... with cats and dogs, horses and cows.

▶ うまく討論できたのはどっち？ (Track 34)

Ms. Hill: Now, everybody, which side did a better job?

Class: They were both good.

Ms. Hill: You're right. And winning is not the most

WORDS

animal park 動物公園　**space** [speis] 空間　**open space** 広々とした場所　**real** [riəl] 本当の　**disturb** [distə́ːrb] じゃまをする　**cow(s)** [kau(z)] 乳牛　**side** [said] 側　**do a good job**（何かを）うまくやってのける

LESSON 8 Let's Have a Debate!

important thing about a debate, anyway. You've learned through debate that there are many ways of looking at even a very simple thing.

　You'll leave junior high school soon. I hope you'll always listen carefully, think clearly, and then speak out yourselves, just as you did in this debate.

「ぜったい」おススメ ❼

単語帳より表現集！
　ある単語を覚えようとしても、それだけ書き出して単語帳を作ったのではあまり効果はありません。それより、単語が使われている文章ごと丸覚えしてしまいましょう。どういう状況で使われた単語なのかが思い出しやすいですし、英語をいざ使う時に、文章ごとスラスラ出てくるという効果もあります。(千田)

WORDS

You've = You have　**simple** [símpl] 簡単な　**clearly** [klíərli] はっきりと　**speak out** はっきりと意見を言う　**yourselves** [juərsélvz] < yourself「あなた自身を」の複数形

LESSON 9

Track 35

Ha, ha, ha ....

英語の笑い話2本です。
ひとつめは大名と彦市の話で、
ふたつめは映画撮影現場での
やり取りです。
さあ、どんなオチがつくのでしょうか。

♥ STORY

Part 1：むかしむかし、大名は謎解きに長けている彦市を屋敷に呼びつけて、謎解きの腕試しをさせることにした。5人の子供の中から大名の息子を探し出すというものだが、彦市は巧妙な質問によって、みごと息子を探し当てた。

Part 2：大がかりなセットを使って映画監督が車の衝突場面の撮影をしようとしていた。撮影準備を無理やり完了させて撮影に臨んだものの、1番目のカメラはフィルムの入れ忘れ、2番目のカメラは電源が落ち、3番目のカメラの担当者は注意散漫というありさまだった。

このレッスンは株式会社 秀文出版『Total English 3』
Lesson 2からです

LESSON ⑨ Ha, ha, ha .....

Part 1

▶ 大名が彦市に課した謎解きとは？

Once upon a time, a *daimyo* sent for Hikoichi.

"Hikoichi has just arrived," said a woman.

"Good. Bring him in."

The woman returned with a boy.

"Thank you for coming. I hear you are very good at riddles," the *daimyo* said. "Today I want to test you. I have already made a riddle. Are you ready?"

Hikoichi said yes.

"There are five boys in the next room. My son is among them. You must find him."

▶ 彦市はどうやって謎解きをしたのでしょうか Track 36

Hikoichi went into the next room and looked at the five boys.

"Have you decided?" asked the *daimyo*.

WORDS

upon [əpán] 〜の上に   **Once upon a time** むかしむかし   **sent** [sent] < send「送る」の過去形   **send for 〜** 〜を呼びにやる   **said** [sed] < say「言う」の過去形   **bring 〜 in** 〜を連れてくる   **Thank you for 〜** 〜してくれてありがとう   **be good at 〜** 〜が得意である   **riddle(s)** [rídl(z)] なぞなぞ   **test** [test] テストする   **among** [əmʌ́ŋ] 〜の中に

"No, I haven't. I need more time."

Minutes later, the *daimyo* said, "I have given you plenty of time. Have you found my son yet?"

"Yes," Hikoichi said. "It was difficult. But your son has something on his face." The *daimyo* and four of the boys all looked at one boy. His face was completely clean. Hikoichi smiled. "Sir, I have just found your son."

Part 2

▶車50台を使った場面の撮影が始まります　Track 37

A movie director was preparing a big action scene. There were 500 people, 50 cars, and 3 cameras. The director's assistant looked worried.

"We haven't finished yet, sir. It'll be a few more minutes."

The director became angry.

"Hurry up! This scene is very expensive! And we have little time!"

WORDS

haven't = have not　**later** [léitər] 後で　**given** [gívn] < give 「与える」の過去分詞
plenty [plénti] たくさん　**plenty of ~** たくさんの〜　**difficult** [dífikəlt] 難しい
completely [kəmplíːtli] 完全に　**director** [diréktər] 監督　**action** [ǽkʃən] 動作
scene [siːn] 場面　**assistant** [əsístənt] 助手　**worried** [wə́ːrid] 心配している　**angry**
[ǽŋgri] 怒った　**hurry up** 急ぐ

LESSON 9 Ha, ha, ha ....

"We're ready now, sir."

"Good. Lights! Cameras! Action!"

Five hundred people screamed as 50 brand-new cars crashed together.

▶ カメラはうまく撮影できたのでしょうか　Track 38

"Camera #1, how was it?"

"Amazing! But, sorry. No film in the camera."

"What?! Don't you know how to use a camera? Camera #2, did you get it?"

"I'm sorry, sir. The power went off. I got nothing."

"I can't believe this! I don't know what to do with you all! This is terrible! But at least I have Camera #3 with me. You're the best of them all, Tom."

"Thank you, sir.... When do we start?"

WORDS

scream(ed) [skri:m(d)] キャーと叫ぶ　**crash(ed)** [kræʃ(t)] 衝突する　**#1** = number 1 1番　**film** [film] フィルム　**Don't you know ~ ?** ~を知らないのか　**power** [páuər] 電力　**go off** 止まる　**nothing** [nʌ́θiŋ] 何も~ない　**believe** [bilíːv] 信じる　**what to do with ~** ~をどうしたらよいか　**least** [liːst] 最も少ない　**at least** 少なくとも　**Tom** [tɑm] トム

LESSON 10

Track 39

On the Top of the World

世界最高峰のエベレストの登頂と七大陸最高峰の踏破に、田部井淳子さんは女性として初めて成功しました。そんな田部井さんの輝かしい足跡をたどってみましょう。

▼ STORY

田部井淳子さんは10歳の時に茶臼岳に登ったことがきっかけとなり、登山に興味を持った。以来、毎晩ジョギングをして体力をつけ、多くの山に登った。1975年に仲間と一緒にネパールへ行き、エベレスト登頂に挑戦した。酸素の欠乏や夜の冷え込みなど、様々な問題に直面しながらも、遂に登頂に成功。その後、女性として初めて七大陸の最高峰の登頂にも成功した。「あきらめずに着実に歩くこと」が彼女をこれらの成功に導いた。

このレッスンは株式会社 三省堂『New Crown English Series New Edition 3』Lesson 9からです

LESSON 10 On the Top of the World

▶田部井さんが登山を始めたのはいつ頃？

In 1975 Ms Tabei stood on the top of the world.

She has always climbed mountains. When she was ten, she climbed Mt Chausudake with her classmates and teachers. Then she realized that she loved climbing.

Over the years she climbed many mountains with her friends and family. In 1971 she joined a group which was planning a big climb. Every night she prepared for the climb by jogging.

And this was just the start.

1992年にオセアニア大陸最高峰のカルステンツ・ピラミッド(4,884m)に登り、七大陸最高峰の踏破に成功した田部井淳子さん

WORDS
top [tɑp] 頂上　**climb** [klaim] 登る　**classmate** [klǽsmeit] 級友　**realize** [ríəlaiz] 悟る
plan [plæn] 計画する　**jog** [dʒɑg] ジョギングする

▶そしてエベレストの登頂に挑戦　Track 40

　Early in 1975 Ms Tabei and her group went to Nepal. While they were climbing, they had a lot of problems. They were out of breath from the lack of oxygen. The sunshine burnt the inside of their mouths. The temperature was minus 30℃ at night. Above the height of 7,000 meters, they could climb only 300 meters a day.

　At times she wanted to give up. But she kept climbing and at last she stood on the top of Mt Everest, the highest mountain in the world.

▶登頂を成功させた彼女の信条とは？　Track 41

Ms Tabei climbed Mt Everest. She also climbed the highest mountain on each continent. She is the first woman to do both.

WORDS

Nepal [nəpɔ́:l] ネパール　**breath** [breθ] 息　**out of breath** 息を切らして　**lack** [læk] 欠乏　**oxygen** [ɑ́ksidʒən] 酸素　**sunshine** [sʌ́nʃain] 日光　**burnt** [bə:nt] < burn [bə:n]「日焼けさせる」の過去形　**inside** [insáid] 内側　**temperature** [témpərətʃə] 気温　**minus** [máinəs] 氷点下の　**height** [hait] 標高　**at times** ときどき　**kept** [kept] < keep「ずっと～し続ける」の過去形　**at last** 遂に　**Everest** [évərist] エベレスト　**high** [hai] 高い　**continent** [kɑ́ntənənt] 大陸

LESSON 10　On the Top of the World

Why does she love climbing?

The best answer is in her own words:

"You can reach the top of any mountain if you walk step by step. You don't have to walk fast. You only have to keep walking. There's no shortcut, no giving up."

> 「ぜったい」おススメ ❽
>
> ### 音読と筆写でTOEICスコア940点に大幅アップ！
> ～薄永洋一さんの場合
>
> 本書で紹介したトレーニング方法を実践した人で、TOEICスコアを伸ばした人は数多くいます。音読や筆写がTOEICの大幅なスコアアップにつながった例として、薄永洋一さんのケースを紹介しましょう。薄永さんは60歳の方で、英語に興味を持ち始めたのは、まだ東京の街に進駐軍の姿があった戦後7年目のことだそうです。薄永さんにとって当時の外国との窓口は進駐軍放送のFEN（現AFN）で、浴びるように聞いてはアナウンサーの言うことを口まねしていました。これが発音やイントネーションを覚えるのに役立ったと言います。また、当時はそれほど英語教材が豊富でなかったということが幸いして、『ジャック＆ベティー』という中学校用教科書をひたすら反復朗読するという練習を数百回も行ったそうです。声に出して英文を読む、時には英文を書きなぐりながら朗読するという、五感を使って身体で覚える学習法はこれによって身に付きました。これが効を奏し、その後、本書で提唱するようなトレーニングを続けたら、最初に受けたTOEICで650点だったのが、2年半という短い期間で940点へと伸びました。今までの練習の成果が高得点となって現れたのです。声に出して読むことや書くことを持続させてきた、薄永さんの学習姿勢に拍手を送りたいと思います。（千田）

WORDS

step [step] 一歩　**step by step** 一歩一歩　**don't have to ~** ～する必要はない　**there's** [ðəz] < there is　**shortcut** [ʃɔ́ːtkʌt] 近道

LESSON ⑪

Track 42

Protect Our World

地球の環境破壊が進んでいます。
環境を保護し、動物の絶滅を
防ぐために、私たちは何を
すべきでしょうか。

◎ STORY

　地球は太陽の惑星のうち、動植物が生きる唯一の星である。だが、地球の環境は壊されつつある。過去200年の間に多くの動物が絶滅した。人間がそれらを食用にしたり、土地造成によってすみかを壊したりしてきたからだ。水質汚濁によって魚も汚染されている。工場や車からの排気によって大気汚染が起こり、それを吸収した雨雲がもたらす酸性雨が植物に被害を与える。今こそ、私たちは環境保護のために立ち上がらなければならない。

このレッスンは教育出版株式会社『One World English Course 3』Lesson 8からです

LESSON 11 Protect Our World

▶今、地球環境はどのような状態にありますか

The earth is one of the nine planets moving around the sun. And it is the only planet that has air to breathe and water to drink. It is the only planet that has plants and animals living on it.

The earth looks blue and beautiful from space. But is it really a good and beautiful place to live today? Many plants and animals are dying out. The air, seas, and rivers are getting dirty.

Plants have been on the earth for more than three billion years. We need plants in order to live. Green plants give off oxygen. All animals must breathe oxygen. We shouldn't forget that.

WORDS

breathe [bri:ð] 呼吸する   **dirty** [dɔ́:rti] 汚い   **billion** [bíljən] 10億   **in order to ~** ~するために   **give off ~** ~を発する   **oxygen** [ɑ́ksidʒən] 酸素   **forget** [fərgét] 忘れる

▶ なぜ多くの動物が絶滅したのでしょうか　Track 43

  Some animals eat plants. Other animals eat animals that eat plants.

  In the last 200 years, many kinds of animals have died out. People have killed animals for food. They have also killed animals for their horns or feathers. People have also destroyed animals' homes when they built houses and factories. If animals can't find a place to live, they die out.

  Pollution is killing many animals, too. Rivers become dirty, and fish are poisoned. Birds that eat poisoned fish can't lay healthy eggs.

▶ 大気汚染がもたらすものとは？　Track 44

  We are killing ourselves, too. When factories or cars use oil, gases go into the air. Sometimes the gases get

---

WORDS

factories [fǽktriz] < factory [fǽktri]「工場」の複数形　**pollution** [pəlúːʃn] 汚染
poison(ed) [pɔ́izn(d)] 汚染する　**lay** [lei] (卵を)産む　**healthy** [hélθi] 健康な
ourselves [auərsélvz] 私たち自身を　**oil** [ɔil] 油

LESSON 11 Protect Our World

into rain clouds, and then acid rain falls back to the earth. It does a lot of damage to plants.

We are now in great danger. We must do something to protect our world.

「ぜったい」おススメ ❾

TOEICでトレーニングの成果チェックを！
　TOEIC®テストの実施都市・日程・申し込み方法などに関する最新情報は、以下のTOEIC運営委員会で入手できます。日々の英語トレーニングの成果を、年1～2回人間ドックに入るようなつもりで受験してチェックしてみてください。
（財）国際ビジネスコミュニケーション協会　TOEIC運営委員会
東京業務センター
　〒100-0014　東京都千代田区永田町2-14-2　山王グランドビル
　　　　TEL: 03-3581-4701
　　　　フリーダイヤル　TEL: 0120-40-1019（24時間自動案内）
大阪業務センター
　〒541-0059　大阪市中央区博労町3-6-1　御堂筋エスジービル11階
　　　　TEL: 06-6258-0222

WORDS

rain [rein] 雨　**cloud(s)** [klaud(z)] 雲　**acid** [ǽsid] 酸性の　**acid rain** 酸性雨
do damage to ~ ~に被害を与える　**danger** [déindʒər] 危険　**in danger** 危険な状態で

LESSON 12

Track 45

I Have a Dream

アメリカ合衆国のマーチン・ルーサー・キング牧師は、黒人差別の撤廃運動を指揮しました。彼の望んだ「夢」とは何だったのでしょうか。

♥ STORY

マーチン・ルーサー・キング牧師は黒人の人権を求める運動を導き、「私には夢がある」という演説を行った。当時、アメリカ南部では黒人は差別されており、バスの座席も白人専用と黒人専用とに分けられていた。ローザ・パークスという黒人女性が白人専用の座席に座ったことで逮捕され、これを聞いたキング牧師と彼の賛同者はバス乗車をボイコットした。1964年にキング牧師はノーベル平和賞を受賞したが、その4年後に射殺されて39歳の短い生涯を閉じた。

このレッスンは株式会社 三省堂『New Crown English Series New Edition 3』Lesson 6からです

LESSON 12 I Have a Dream

▶キング牧師の夢とは？

"I have a dream. One day my four little children will not be judged by the color of their skin ..."

This is part of a speech which was made by Martin Luther King, Jr. He was a great leader who worked for the rights of black people in the United States. This speech was given in Washington, D. C. in 1963.

▶バスの座席をめぐって何が起きたのですか

Track 46

In those days many white people discriminated against black people. For example, 'Whites Only' signs were common in the South. Also there were seats in buses

WORDS

judge [dʒʌdʒ] 判断する　**color** [kʌ́lə] 色　**skin** [skin] 肌　**Martin Luther King, Jr.** [má:tin lú:θə kíŋ dʒú:njə] マーチン・ルーサー・キング2世　**leader** [lí:də] 指導者
the United States [ju:náitid stéits]（アメリカ）合衆国　**given** [gívn] < give「与える」の過去分詞　**Washington, D. C.** [wɔ́:ʃiŋtən dí:sí:] ワシントン（米国の首都）
discriminate [diskríməneit] 差別する　**sign** [sain] 看板　**the South** [sauθ] 南部
seat [si:t] 座席

which black people could not sit in.

One day Rosa Parks, a black woman, got on a bus and took a seat. Soon the white section filled up. The bus driver shouted, "Move to the back, or I'll call the police!" Mrs Parks did not rise from her seat. The police came and arrested her.

▶キング牧師のとった抗議行動とは？ Track 47

When he heard the news of this incident, Martin Luther King said, "Listen, friends. Let's stop using the buses. We must fight to take any seat on a bus."

The boycott led by him spread through the city. Many white people were against it. They tried many things to stop it. But King and his followers did not give up. The boycott lasted for 381 days. They finally won the right to take any seat on a bus.

WORDS

Rosa Parks [róuzə pάːks] ローザ・パークス（女性の名前）　**take a seat** 座席に座る　**section** [sékʃən] 区域　**driver** [dráivə] 運転手　**police** [pəlíːs] 警察　**rise** [raiz] 立ち上がる　**arrest** [ərést] 逮捕する　**news** [njuːz] ニュース　**incident** [ínsidənt] でき事　**fight** [fait] 闘う　**boycott** [bɔ́ikɑt] ボイコット　**led** [led] < lead [liːd]「導く」の過去分詞　**through** [θruː] 〜じゅうくまなく　**follower** [fάlouə] 支持者　**last** [læst] 続く

LESSON 12 I Have a Dream

▶キング牧師の短い生涯が終わる

After the success of this boycott, the number of people following King increased greatly. In 1964 he got the Nobel Peace Prize. Four years later he was shot and killed. He was only 39 years old.

He died, but people will long remember his words and thoughts.

"I have a dream. One day the sons of former slaves and the sons of former slave-owners will be able to sit down together at the table of brotherhood."

1964年シカゴで演説するキング牧師

WORDS

success [səksés] 成功　number [nʌ́mbə] 数　increase [inkríːs] 増加する　greatly [gréitli] 非常に　the Nobel Peace Prize [nóubel píːs práiz] ノーベル平和賞　shot [ʃɑt] <shoot [ʃuːt] 「撃つ」の過去分詞　former [fɔ́ːmə] 以前の　slave [sleiv] 奴隷　slave-owner [sléiv óunə] 奴隷所有者　able [éibl] ～できる　be able to ~ ~することができる　brotherhood [brʌ́ðəhud] 同胞

巻末付録

トレーニング記録帳

トレーニング記録帳の
記入の仕方

トレーニング記録帳
(LESSON 1～12)

音読筆写の進歩記録表

トレーニング記録帳の記入の仕方

　本書の基本トレーニング期間中は、この「トレーニング記録帳」の各欄に毎日「ぜったい」記入していきましょう。ここではレッスンごとに、基本トレーニングの実施日などが書き込めるようになっています。以下の書き方の説明を読んで、自分の記録をつけていきましょう。

基本トレーニング（2ヵ月間コース）

基本トレーニングの1日のメニューは下記のとおりです。分からないところが残っても、翌日は次のレッスンに進んでください。毎日1レッスンずつトレーニングし、レッスン12まで終わると13日目から第2周目に入り、またレッスン1からレッスン12までやりましょう。そしてこれを第5周目まで行います。

1日のメニュー		
	STEP 1	テキストを見ないで、1レッスン分のCDを聴き、内容を推測する。これを2回繰り返す（推測①）
	STEP 2	ページ下の語注を参考にしながら、文章の意味を「理解」する
	STEP 3	CDをかけずに、テキストを音読（素読み）する。これを3回繰り返す（刷り込みトレーニング①）
	STEP 4	テキストを音読しながら「筆写」する。これを3回繰り返す（刷り込みトレーニング②）
	STEP 5	もう一度CDを聴いて、内容を推測し、理解の深まりを確認する。これを1回行う（推測②）

記録帳に書き込む内容

●実施日……

トレーニングを行った日を記入します。

●1分間で書き取れたワード数……

毎日STEP4(37ページ参照)で1レッスンの音読筆写を3回繰り返したら、手元に秒針のある時計(出来ればストップウォッチ)を用意してください。その日にやったレッスンの最初のページを、1分間出来るところまで音読筆写してください。そして「1分間で何ワード音読筆写できたか」を計算し、そのワード数を各レッスンのトレーニング記録欄と134ページの「音読筆写の進歩記録表」に記入しましょう。音読筆写する箇所を各レッスンで一定にしておけば、第2周目、第3周目と、周を重ねるごとに音読筆写できるワード数が増えていくことに気付き、進歩の度合いが分かるでしょう。それが「トレーニングの成果」であり、「継続の大きなエネルギー」を生むことにもなるのです。

●トレーニングの感想……

1日のトレーニングをこなした後に、感じたこと、例えば少し速く読めるようになった、速く推測できるようになったなど、ポジティブな身体の変化を書いて、自分自身への励ましにしましょう。

記入例

第1周目

| 実施日 | 5/10 (水) | 1分間で書き取れたワード数 | 21語 |

トレーニングの感想　文章の意味をよく理解してから音読筆写したら、3度目に頭の中で文章の内容がイメージできるようになった。進歩、進歩！

次の日はレッスン2へ

トレーニング記録帳

LESSON ① The Internet

1日のメニュー		
STEP 1	CDを聴き内容を推測する(推測①)	2回
STEP 2	文章の意味を「理解」する	
STEP 3	音読(素読み)する(刷り込みトレーニング①)	3回
STEP 4	音読しながら「筆写」する(刷り込みトレーニング②)	3回
STEP 5	もう一度CDを聴く(推測②)	1回

第1周目

実 施 日		1分間で書き取れたワード数	

トレーニングの感想

次の日はレッスン2へ

第2周目

実 施 日		1分間で書き取れたワード数	

トレーニングの感想

次の日はレッスン2へ

トレーニング記録帳

第3周目

実 施 日		1分間で 書き取れたワード数	

トレーニングの感想

次の日はレッスン2へ

第4周目

実 施 日		1分間で 書き取れたワード数	

トレーニングの感想

次の日はレッスン2へ

第5周目

実 施 日		1分間で 書き取れたワード数	

トレーニングの感想

次の日はレッスン2へ

トレーニング記録帳 レッスン①

トレーニング記録帳

LESSON 2　The Development of Computers

1日のメニュー

STEP 1	CDを聴き内容を推測する（推測①）	2回
STEP 2	文章の意味を「理解」する	
STEP 3	音読（素読み）する（刷り込みトレーニング①）	3回
STEP 4	音読しながら「筆写」する（刷り込みトレーニング②）	3回
STEP 5	もう一度CDを聴く（推測②）	1回

第1周目

| 実 施 日 | | 1分間で書き取れたワード数 | |

トレーニングの感想

次の日はレッスン3へ

第2周目

| 実 施 日 | | 1分間で書き取れたワード数 | |

トレーニングの感想

次の日はレッスン3へ

| トレーニング記録帳

第3周目

| 実 施 日 | | 1分間で
書き取れたワード数 | |

トレーニングの感想

次の日はレッスン3へ

第4周目

| 実 施 日 | | 1分間で
書き取れたワード数 | |

トレーニングの感想

次の日はレッスン3へ

第5周目

| 実 施 日 | | 1分間で
書き取れたワード数 | |

トレーニングの感想

次の日はレッスン3へ

トレーニング記録帳 レッスン②

トレーニング記録帳

LESSON 3　A Blend of Cultures

1日のメニュー		
	STEP 1 CDを聴き内容を推測する(推測①)	2回
	STEP 2 文章の意味を「理解」する	
	STEP 3 音読(素読み)する(刷り込みトレーニング①)	3回
	STEP 4 音読しながら「筆写」する(刷り込みトレーニング②)	3回
	STEP 5 もう一度CDを聴く(推測②)	1回

第1周目

実施日		1分間で書き取れたワード数	

トレーニングの感想

次の日はレッスン4へ

第2周目

実施日		1分間で書き取れたワード数	

トレーニングの感想

次の日はレッスン4へ

トレーニング記録帳

第3周目

実 施 日		1分間で書き取れたワード数	

トレーニングの感想

次の日はレッスン4へ

第4周目

実 施 日		1分間で書き取れたワード数	

トレーニングの感想

次の日はレッスン4へ

第5周目

実 施 日		1分間で書き取れたワード数	

トレーニングの感想

次の日はレッスン4へ

トレーニング記録帳 レッスン③

トレーニング記録帳

LESSON ❹　A Famous Old Town

1日のメニュー		
	STEP 1 CDを聴き内容を推測する(推測①)	2回
	STEP 2 文章の意味を「理解」する	
	STEP 3 音読(素読み)する(刷り込みトレーニング①)	3回
	STEP 4 音読しながら「筆写」する(刷り込みトレーニング②)	3回
	STEP 5 もう一度CDを聴く(推測②)	1回

第1周目

実 施 日		1分間で 書き取れたワード数	

トレーニングの感想 ....

次の日はレッスン5へ

第2周目

実 施 日		1分間で 書き取れたワード数	

トレーニングの感想 ....

次の日はレッスン5へ

トレーニング記録帳

第3周目

実 施 日		1分間で 書き取れたワード数	

トレーニングの感想

次の日はレッスン5へ

第4周目

実 施 日		1分間で 書き取れたワード数	

トレーニングの感想

次の日はレッスン5へ

第5周目

実 施 日		1分間で 書き取れたワード数	

トレーニングの感想

次の日はレッスン5へ

トレーニング記録帳

LESSON 5　A Pajama Party

1日のメニュー		
	STEP 1 CDを聴き内容を推測する(推測①)	2回
	STEP 2 文章の意味を「理解」する	
	STEP 3 音読(素読み)する(刷り込みトレーニング①)	3回
	STEP 4 音読しながら「筆写」する(刷り込みトレーニング②)	3回
	STEP 5 もう一度CDを聴く(推測②)	1回

第1周目

実施日		1分間で 書き取れたワード数	
トレーニングの感想			

次の日はレッスン6へ

第2周目

実施日		1分間で 書き取れたワード数	
トレーニングの感想			

次の日はレッスン6へ

| トレーニング記録帳

第3周目

実　施　日		1分間で 書き取れたワード数	
トレーニングの感想			

次の日はレッスン6へ

第4周目

実　施　日		1分間で 書き取れたワード数	
トレーニングの感想			

次の日はレッスン6へ

第5周目

実　施　日		1分間で 書き取れたワード数	
トレーニングの感想			

次の日はレッスン6へ

トレーニング記録帳 レッスン⑤

トレーニング記録帳

LESSON 6　Making a Speech

1日のメニュー		
STEP 1	CDを聴き内容を推測する(推測①)	2回
STEP 2	文章の意味を「理解」する	
STEP 3	音読(素読み)する(刷り込みトレーニング①)	3回
STEP 4	音読しながら「筆写」する(刷り込みトレーニング②)	3回
STEP 5	もう一度CDを聴く(推測②)	1回

第1周目

実 施 日		1分間で 書き取れたワード数	

トレーニングの感想

次の日はレッスン7へ

第2周目

実 施 日		1分間で 書き取れたワード数	

トレーニングの感想

次の日はレッスン7へ

トレーニング記録帳

第3周目

実 施 日		1分間で書き取れたワード数	

トレーニングの感想

次の日はレッスン7へ

第4周目

実 施 日		1分間で書き取れたワード数	

トレーニングの感想

次の日はレッスン7へ

第5周目

実 施 日		1分間で書き取れたワード数	

トレーニングの感想

次の日はレッスン7へ

トレーニング記録帳 レッスン⑥

トレーニング記録帳

LESSON 7　Mika's Speech

1日のメニュー		
	STEP 1 CDを聴き内容を推測する(推測①)	2回
	STEP 2 文章の意味を「理解」する	
	STEP 3 音読(素読み)する(刷り込みトレーニング①)	3回
	STEP 4 音読しながら「筆写」する(刷り込みトレーニング②)	3回
	STEP 5 もう一度CDを聴く(推測②)	1回

第1周目

実 施 日		1分間で書き取れたワード数	

トレーニングの感想

次の日はレッスン8へ

第2周目

実 施 日		1分間で書き取れたワード数	

トレーニングの感想

次の日はレッスン8へ

トレーニング記録帳

第3周目

実 施 日		1分間で 書き取れたワード数	
トレーニングの感想			

次の日はレッスン8へ

第4周目

実 施 日		1分間で 書き取れたワード数	
トレーニングの感想			

次の日はレッスン8へ

第5周目

実 施 日		1分間で 書き取れたワード数	
トレーニングの感想			

次の日はレッスン8へ

トレーニング記録帳　レッスン⑦

トレーニング記録帳

LESSON 8　Let's Have a Debate!

1日のメニュー

- **STEP 1** CDを聴き内容を推測する(推測①)　　　　　　2回
- **STEP 2** 文章の意味を「理解」する
- **STEP 3** 音読(素読み)する(刷り込みトレーニング①)　　3回
- **STEP 4** 音読しながら「筆写」する(刷り込みトレーニング②) 3回
- **STEP 5** もう一度CDを聴く(推測②)　　　　　　　　　1回

第1周目

実 施 日		1分間で書き取れたワード数	

トレーニングの感想

次の日はレッスン9へ

第2周目

実 施 日		1分間で書き取れたワード数	

トレーニングの感想

次の日はレッスン9へ

トレーニング記録帳

第3周目

実 施 日		1分間で 書き取れたワード数	

トレーニングの感想

次の日はレッスン9へ

第4周目

実 施 日		1分間で 書き取れたワード数	

トレーニングの感想

次の日はレッスン9へ

第5周目

実 施 日		1分間で 書き取れたワード数	

トレーニングの感想

次の日はレッスン9へ

トレーニング記録帳 レッスン⑧

トレーニング記録帳

LESSON ❾　Ha, ha, ha ....

1日のメニュー		
STEP 1 CDを聴き内容を推測する（推測①）		2 回
STEP 2 文章の意味を「理解」する		
STEP 3 音読（素読み）する（刷り込みトレーニング①）		3 回
STEP 4 音読しながら「筆写」する（刷り込みトレーニング②）		3 回
STEP 5 もう一度CDを聴く（推測②）		1 回

第1周目

実 施 日		1分間で 書き取れたワード数	
トレーニングの感想			

次の日はレッスン10へ

第2周目

実 施 日		1分間で 書き取れたワード数	
トレーニングの感想			

次の日はレッスン10へ

| トレーニング記録帳

第3周目

実 施 日		1分間で 書き取れたワード数	

トレーニングの感想

次の日はレッスン10へ

第4周目

実 施 日		1分間で 書き取れたワード数	

トレーニングの感想

次の日はレッスン10へ

第5周目

実 施 日		1分間で 書き取れたワード数	

トレーニングの感想

次の日はレッスン10へ

トレーニング記録帳 レッスン⑨

トレーニング記録帳

LESSON 10　On the Top of the World

1日のメニュー		
STEP 1 CDを聴き内容を推測する(推測①)		2 回
STEP 2 文章の意味を「理解」する		
STEP 3 音読(素読み)する(刷り込みトレーニング①)		3 回
STEP 4 音読しながら「筆写」する(刷り込みトレーニング②)		3 回
STEP 5 もう一度CDを聴く(推測②)		1 回

第1周目

実 施 日		1分間で 書き取れたワード数	

トレーニングの感想

次の日はレッスン11へ

第2周目

実 施 日		1分間で 書き取れたワード数	

トレーニングの感想

次の日はレッスン11へ

| トレーニング記録帳

第3周目

実 施 日		1分間で 書き取れたワード数	

トレーニングの感想

次の日はレッスン11へ

第4周目

実 施 日		1分間で 書き取れたワード数	

トレーニングの感想

次の日はレッスン11へ

第5周目

実 施 日		1分間で 書き取れたワード数	

トレーニングの感想

次の日はレッスン11へ

トレーニング記録帳

LESSON 11　Protect Our World

1日のメニュー

STEP 1	CDを聴き内容を推測する(推測①)	2回
STEP 2	文章の意味を「理解」する	
STEP 3	音読(素読み)する(刷り込みトレーニング①)	3回
STEP 4	音読しながら「筆写」する(刷り込みトレーニング②)	3回
STEP 5	もう一度CDを聴く(推測②)	1回

第1周目

実 施 日		1分間で 書き取れたワード数	

トレーニングの感想

次の日はレッスン12へ

第2周目

実 施 日		1分間で 書き取れたワード数	

トレーニングの感想

次の日はレッスン12へ

| トレーニング記録帳

第3周目

実 施 日		1分間で 書き取れたワード数	

トレーニングの感想

次の日はレッスン12へ

第4周目

実 施 日		1分間で 書き取れたワード数	

トレーニングの感想

次の日はレッスン12へ

第5周目

実 施 日		1分間で 書き取れたワード数	

トレーニングの感想

次の日はレッスン12へ

トレーニング記録帳 レッスン⑪

トレーニング記録帳

LESSON ⑫　I Have a Dream

<table>
<tr><td rowspan="5">1日のメニュー</td><td>**STEP 1** CDを聴き内容を推測する（推測①）</td><td>2回</td></tr>
<tr><td>**STEP 2** 文章の意味を「理解」する</td><td></td></tr>
<tr><td>**STEP 3** 音読（素読み）する（刷り込みトレーニング①）</td><td>3回</td></tr>
<tr><td>**STEP 4** 音読しながら「筆写」する（刷り込みトレーニング②）</td><td>3回</td></tr>
<tr><td>**STEP 5** もう一度CDを聴く（推測②）</td><td>1回</td></tr>
</table>

第1周目

実 施 日		1分間で 書き取れたワード数	

トレーニングの感想

次の日は第2周目のレッスン1へ

第2周目

実 施 日		1分間で 書き取れたワード数	

トレーニングの感想

次の日は第3周目のレッスン1へ

トレーニング記録帳

第3周目

実 施 日		1分間で 書き取れたワード数	

トレーニングの感想

次の日は第4周目のレッスン1へ

第4周目

実 施 日		1分間で 書き取れたワード数	

トレーニングの感想

次の日は第5周目のレッスン1へ

第5周目

実 施 日		1分間で 書き取れたワード数	

トレーニングの感想

基本トレーニング完了！

トレーニング記録帳レッスン⑫

音読筆写の進歩記録表

各レッスンのそれぞれの周ごとに、1分間で書き取れたワード数を記入しましょう。

Lesson \ 周	第1周目	第2周目	第3周目	第4周目	第5周目
1	語	語	語	語	語
2	語	語	語	語	語
3	語	語	語	語	語
4	語	語	語	語	語
5	語	語	語	語	語
6	語	語	語	語	語
7	語	語	語	語	語
8	語	語	語	語	語
9	語	語	語	語	語
10	語	語	語	語	語
11	語	語	語	語	語
12	語	語	語	語	語

著者紹介

編者：國弘 正雄（くにひろ まさお）

東京都生まれ。"同時通訳の神様"として知られる。NHK教育テレビ講師、文化放送「百万人の英語」講師、東京国際大学教授、日本テレビニュースキャスター、参議院議員などを歴任。現在、英国エジンバラ大学特任客員教授。著書に、『國弘正雄自選集』（全六巻、日本英語教育協会）、『英語の話しかた』（サイマル出版会）、『國弘流英語の話しかた』（たちばな出版）、訳書にE.ライシャワー『ザ・ジャパニーズ』（文藝春秋）、D.クリスタル『地球語としての英語』（みすず書房）などがある。

トレーニング指導：千田 潤一（ちだ じゅんいち）

岩手県生まれ。福島大学卒業。TOEIC Friends Club シニア・アドバイザー、（株）アイ・シー・シー代表取締役。著書に『TOEIC®テスト実戦パック』シリーズ、『TOEIC®テスト トレーニングブック』シリーズ（ともに増進会出版社）、『TOEIC®テストで英語をモノにする本』（洋販出版）、『TOEIC®テスト スコアアップ体験記』（The Japan Times）など多数。年間約200回全国で講演するかたわら、那須高原で「英語難民救済センター」を主催、「〈那須の一夜漬け〉英語セルフトレーニング法マスター合宿」を開いている。問い合わせはE-mailで、junichic@nasuinfo.or.jpまで。

CDブック 英会話・ぜったい・音読 標準編
頭の中に英語回路を作る本

2000年4月5日　第1刷発行	
2025年4月10日　第36刷発行	

編　者	國弘正雄
トレーニング指導	千田潤一
発行者	清田則子
発行所	株式会社講談社 〒112-8001　東京都文京区音羽2-12-21 販売　東京03-5395-5817 業務　東京03-5395-3615
編　集	株式会社講談社エディトリアル 代表　堺公江 〒112-0013　東京都文京区音羽1-17-18護国寺SIAビル 編集部　東京03-5319-2171
印刷・製本所	TOPPANクロレ株式会社

定価はカバーに表示してあります。
落丁本・乱丁本は購入書店名を明記のうえ、講談社業務宛にお送りください。送料小社負担にてお取り替えいたします。なお、この本についてのお問い合わせは、講談社エディトリアル宛にお願いいたします。本書のコピー、スキャン、デジタル化等の無断複製は著作権法上での例外を除き禁じられています。本書を代行業者等の第三者に依頼してスキャンやデジタル化することはたとえ個人や家庭内の利用でも著作権法違反です。

© Kodansha 2000
Printed in Japan
ISBN 978-4-7700-2459-6